ÜBER DAS BUCH:

Frei nach dem Motto »Kein blöder Land in dieser Zeit« fährt Dietmar Wischmeyer mit dem Rasiermesser durch den deutschen Alltag, durch die Eigenheimlager am Rande des Gewerbegebiets, über die glibberigen Fleischtheken mit Pfannengyros, rein in die Metaphernhölle des Brotregals und hoch zur Aluleiter-Nordwand am Baumarktmassiv. Jeder, der nach diesem Parforceritt seine alltägliche Umgebung noch mit gleichen Augen sieht, darf sich auch zu ihnen zählen, zu den Bekloppten und Bescheuerten dieses Landes.

DER AUTOR:

Dietmar Wischmeyer wurde am 5. März 1957 im Wiehengebirge geboren und besuchte dort Zwergschule und Gymnasium. Danach Studium der Philosophie und Literaturwissenschaft in Bielefeld. Bekannt wurde er vor allem durch seine Radio- und Bühnenfigur *Der Kleine Tierfreund* (1991 und 1993 auch als Buch zusammen mit dem Zeichner Wolf-Rüdiger Marunde) und als Gründer der legendären Comedysendung *FRÜHSTYXRADIO* (mit Sabine Bulthaup, Oliver Kalkofe und Oliver Welke).

Wischmeyer lebt als freier Humorist abwechselnd in New York und Wölpinghausen. Um ehrlich zu sein, hauptsächlich in Wölpinghausen, Landkreis Schaumburg.

Dietmar Wischmeyers Logbuch

Eine Reise durch das Land der Bekloppten und Bescheuerten

**Ein besonderer Dank gilt
Kassowarth von Sondermühlen
für seine Gedanken zur Zeit**

Inhalt

MITTEN IM RESERVAT DER BEKLOPPTEN UND BESCHEUERTEN
Häßliches Land

Schon seit langem warte ich darauf, daß Sightseeing-Busse für ausländische Touristen vollgekotzt in die Depots zurückgebracht werden, daß Bürger aus ästhetischen Gründen dieser Republik auf ewig den Rücken kehren. Machen wir uns doch nichts vor: Deutschland ist kackenhäßlich. Wohin man schaut, möchte man am liebsten lang in die Landschaft brechen. Gleichförmiger Siedlungsbrei frißt sich mit seinen Knack- und Backhütten in die Feldmark, Hochregal-Auslieferungslager locken LKW-Kolonnen in den fernsten Winkel der Provinz. Umgekehrt proportional zur schwindenden wirtschaftlichen Bedeutung dieser Lahmarschrepublik klekkern die Bürgermeister Gewerbegebiete in die Flora, eins widerwärtiger und leerstehender als das andere. Dazwischen siedelt die Konsumzecke in seinem Futterhäuschen fürs Fernsehen und ungestörtes Vögeln. Mit der Wasserwaage hat er die Stiefmütterchen in die Krume gesteckt, mit dem Senkblei die Krüppelkonifere am Plattenweg ausgerichtet. Der ganze Vorgartenscheiß sieht aus wie eine Gartensimulation auf einem 64er Commodore PC aus den frühen Achtzigern. Des Deutschen Königsweg in die häßliche Aufbereitung seiner Gaue ist die Parzellierung. Zuoberst werden Wohn-, Gewerbe- und Einkaufsgebiete abgesteckt. Darin darf man nur das tun, was vorne dran steht, damit keine Abwechslung entsteht. So geschult, parzelliert der Blödian natürlich lustig weiter auf der eigenen Parzelle. Da gibt's die Sonderzonen für Blümchen, für Autos, für Hundekacke, für Kinder und die Wäscheleine – alles durch Betonkantsteine voneinander getrennt. Denn am meisten Angst hat der parzellierwütige Deutsche vor dem Übergangsbereich, jener schwul-südländischen Geisteshaltung, in der beispielsweise Rasen und Verbundpflaster allmählich ineinander übergehen oder das eigene Grundstück nicht durch einen antikommunikativen Schutzwall abgeschottet wird. Einher geht mit dem Drang zur Parzelle beim hiesigen Knallkopp die deutscheste aller Paradiesvorstellungen:

Alles hat seine Ordnung. Das Auto steht auf der rotgefärbten Betonplatte und nicht etwa auf dem Rasen, und der Löwenzahn wächst schön brav im zugewiesenen Gartenbiotop. Traut er sich über die Betonkante: Kopp ab! Und genau das ist das tiefe Geheimnis der Häßlichkeit in diesem Land: Alles ist an seinem Platz und strahlt eine ekelerregende Nettigkeit aus. Hinzu kommt natürlich noch die geradezu unfaßbare Dämlichkeit hiesiger Bauherren: Wie mit der Streusandbüchse werden Fensteröffnungen wild auf der Fassade verteilt, burmesische Pagodenpforten aus friesischem Klinker gemauert und der hellblaue Dachstein auf den Krüppelwalm ge-knallt. Menschen dieser Welt, schaut auf das deutsche Eigenheim, und ihr wißt, wieviel Scheiße in den Köpfen seiner Bewohner rumliegt.

Pikant gewürzt wird die gemauerte Kotze durch die Kreationen der Ver-brauchermarkt-Aufsteller. Fernab jeder landschaftlich geprägten Archi-tektur ballern sie die überall gleichen Flachbunker in die Dorfkerne und malen sie gelbrot an. Warum erbarmt sich eigentlich keine unterbeschäf-tigte terroristische Vereinigung dieser wegsprengenswerten Gebilde?

Ich beantrage hiermit bei der UNESCO, 95% aller Gebäude in Deutsch-land mit einer Kennzeichnung zu versehen, die sie ausdrücklich im Falle eines Krieges für die Bombardierung freigibt.

**Altes Fachwerkhaus –
schön renoviert.**

»RUHE! HIER BRÜTEN ANGESTELLTE.«

Anwohner

Der Mensch als Arschloch ist das Wesen mit den tausend Gesichtern, eines der neuesten ist das des Anwohners. Der Anwohner ist eine saturierte Mittelstandskrampe, die sich vorzugsweise und voller Niedertracht in der Einflugschneise eines internationalen Flughafens ansiedelt, um per Oberlandesgerichtsentscheid in der Mittagspause den kompletten Flugverkehr lahmzulegen. Gerne nörgelt er auch an einer Sondermülldeponie neben seinem Eigenheim-Soweto herum, wo sich doch kaum ein geeigneterer Standort vorstellen ließe. Jeglichen Kraftverkehr im Umkreis

MENSCHEN
Warum leben eigentlich so viele Menschen auf der Erde? Wäre die Hälfte nicht auch genug, oder sagen wir 200? Mehr kennt man ja sowieso nicht. Was wollen die ganzen Fremden hier auf diesem Planeten, hier wo sie keiner kennt?
Kassowarth von Sondermühlen

einer Meile seiner altdeutsch verschandelten Wohnhölle möchte er auf 30 km/h herunterkastrieren. Die damit auch für ihn verlorene Zeit holt er allemal wieder raus, wenn er mit seinem Siebener BMW auf der Schnell-straße durch die Prolo-Vorstadt rast. Der Anwohner, noch mehr sein Weib-chen, die Anwohnerella, ist ein hypersensibles Wesen, das am liebsten ein Leichentuch der Stille über die Welt decken möchte. Sein höchstes Plaisir ist drum auch das Verhindern von Rock-Konzerten. In einer ekelerregen-den Pervertierung des Bürgerinitiative-Gedankens schließt er sich mit einer Handvoll anderen Mittelstands-Blödis zusammen und verleidet 60 000 an-deren einen harmlosen Spaß. Die Hauptstadt des Anwohners ist München, hier hat er es innerhalb eines Jahres geschafft, die Biergarten-Kultur auf ein niedliches Kindergeburtstagsniveau runterzufahren. Sein Ziel ist es, in jeder Stadt das pulsierende Leben zu vernichten, so lange, bis alle Men-schen zu ebensolchen Erzlangweilern mutiert sind wie er und seine lahme Trulla. Aber nicht genug damit, Deutschland zu zerstören, nein neuer-dings schlägt der Anwohner auch im Ausland zu. Der Neger im Nebenzim-mer, die lustige Schlagbohrmaschine im Frühstücksraum – alles kann Ge-genstand einer einklagbaren Wertminderung sein. In wenigen Jahren werden diese Botschafter des schalen Geschmacks die ganze Welt mit den Viren der muffigen Mittelstandsgemütlichkeit infiziert haben, New York wird Bad Harzburg, und zwischen 13 und 15 Uhr läßt der Serbe die Flinte ruhen. Das Lebenscredo des Anwohners ist die inselhafte Scheinordnung in einem Meer des Chaos und des Unfriedens. Nicht der Weltkrieg macht ihm angst, sondern der Glascontainer vor seinem Haus. So liegen denn auch seine bescheidenen Freuden nicht darin, das Leben in seinen Wider-sprüchen in sich aufzusaugen, sondern seinen blöden Rotwein richtig zu temperieren und sich die naturbelassenen Einlegesohlen in die Halb-schuhe zu stopfen. Man kann nur froh sein, daß in unserer Gesellschaft die Ausübung des GV in der Öffentlichkeit nicht gestattet ist, damit man sich dieses vernunftmäßige Tempo-30-Geruckel außerhalb der Ruhezeiten nicht mit ansehen muß.

WERBEATTENTATE AUF BÄCKEREIEN

Im Namen des Brotes

Ach so, Sie meinen den »Kosakenschniepel«, weist mich die Brotfach-verkäuferin zurecht. Was von mir als das »kleine graue Mischbrot dort« bezeichnet wurde, ist also im Werbejargon der Lebensmittelgiftküchen ein »Kosakenschniepel«; was auch immer der braungefärbte Auszugs-mehlklumpen mit dem Gemächte eines Angehörigen der zaristischen Waffen-SS gemein haben mag. Es vergeht kein Tag, an dem man nicht beim Bäcker – Entschuldigung – in der Mehl-Erlebnis-World mit neuen Sprachklonen attackiert wird. Das schlichte Graubrot wird Country-Stuten, Brötchen mit drangeklebten Roggenkörnern heißen Jogger-Baguettes, und die mit Preßluft aufgepumpten Gummilaiber firmieren als altfränki-scher Hüttenknubbel im Regal der mehligen Giftküche. Je weniger drin ist, desto mehr steht drauf. Kaum ein Bäckersgesell, der nicht mindestens zwanzig pseudoverschiedene Brötchensorten aufgebahrt hat, um der tra-nigen Kundschaft am frühen Morgen Vielfalt im Einerlei seines Pappfra-ßes vorzugaukeln. Kaum ein Supermarkt, der nicht damit wirbt, bei ihm würden alle 20 Minuten frische Brötchen gebacken. Na klar, nach 5 Minu-ten schmecken die faden Klumpen ja auch schon so, als seien sie vier Wo-chen bei Dschingis-Khan unterm Pferdesattel plangeritten worden.

Während im Orkus der Backstube Freund Zwischenwirt aus gefrorenen Halbfertig-Rohlingen mit Hilfe der Chemokeule einen Brotunculus erschafft, liegen vorne im Laden knusprige Bauernkanten und delikate Fitneßstuten auf angestrahlten Strohballen oder rustikal geflämmtem Fichtenbrett. Längst verbirgt sich hinter der tchibohaften Leuchtreklame »Poppendiecks Land-bäckerei seit 1752« nichts anderes als das eingetragene Warenzeichen eines weltweit operierenden Nahrungsmultis.

Bis in die allerletzte Dorffiliale drückt der Moloch seinen verkokelten Fraß aus geschmacklich angereicherten Sägespänen. Im Schutze der Nacht schleichen die Brotwagen über Land und liefern die Rohlinge an den Hintertüren der sogenannten Bäckereien ab. Drinnen wirft der übernächtigte Lehrling an den einen Sonnenblumenkerne und veredelt ihn zum Mehrkornbrot, an den anderen eine Handvoll Mehl und verwandelt ihn in das handgeformte »Pizzabaguettevitaljoggingbrötchen von Meisterhand«.

Alles Betrug! Na und? Ist es nicht die gerechte Strafe für die Horde übelgekleideter Zombies, die am frühen Morgen in den Bäckerladen schleichen? Der Mann im lila-grünen Jogginganzug und den Badelatschen und die HB-qualmende Frau im Bademantel – haben sie wirklich etwas anderes verdient? Nein.

Macht nur weiter so, ihr Pseudobäcker und Mehlpanscher – es trifft keinen Falschen. Sie wollen es nicht anders. Und was gibt es Schöneres, als am Wochenende in der plüschigen Versandhausgarnitur zu hocken und sich zum schwiemeligen Frühstyxfernsehen den mehligen Giftmüll reinzumümmeln. Guten Appetit!

»Nein, du Sack, schmier ihn dir in die Haare!«

BLABLABLABLABLABLABLABLABLABLABLABLA- BLABLABLA...

Das Gefasel

Das Fernsehen ist niveaulos und blöd. Sicherlich. Aber immer noch besser als das Gefasel, das einem Freund Mitmensch ins Ohr hustet. Wie platt und dümmlich das Drehbuch einer Folge des Bergpfarrers auf Rügen auch immer sein mag, allemal interessanter als die ungeschnittene Nacherzählversion des Arbeitskollegen am anderen Morgen in der Firma ist sie bestimmt. Die Hälfte dessen, was die Bekloppten und Bescheuerten für mitteilenswert halten, besteht aus den spannenden Erlebnissen, die sie wieder einmal vor dem Bildschirm hatten. Die andere Hälfte sind pointenlose Anekdoten aus dem Heldenleben einer Arschgeige: »Weißt du, was mir heute auf der Straße passiert ist?« Ein außerirdischer Rottweiler hat dich von hinten gepoppt? Nein? Ach so. Was denn? »Da is ein Fußgänger bei Rot über die Ampel. Dem hab' ich aber was erzählt.« Toll! Weder der Fußgänger noch ich interessieren sich aber für deine Blödi-Meinung bezüglich der korrekten Verhaltensstrategien im öffentlichen Raum.

Gerne berichtet der Faselkopp auch über seine weitreichenden Kontakte in die Glitzerwelt des Showbusiness. »'nen Freund von mir, der kennt die zweite Frau von Bata Ilic noch aus der Schule.« Ratlos steht man vor diesem immensen Zugewinn an enzyklopädischem Wissen und kann den Eingang der Information nur mit einem erstaunten »Aha« quittieren. Was immer sie uns erzählen, alle diese Nachbarn, Kollegen, Freunde, Ehegatten: Es ist in der Mehrzahl schlecht recherchiert, belanglos, grammatikalisch falsch und zu laut. Jede Baumarktbeilage aus der Tageszeitung enthält mehr Wahrheit als das Geblubber des Anrainermenschen. Warum aber setzt sie sich endlos fort, die schlammige Flut des Geseires und Gefasels. Warum hören Menschen einander überhaupt noch zu? Es ist ein Pakt auf Gegenseitigkeit, der das überflüssig modulierte Ausatmen der Leute am Leben erhält. Wenn ich mir deine Scheiße anhöre, dann mußt du dir auch meine anhören. Und so quietscht und knarzt die Tretmühle der Kommuni-

kation bis in alle Ewigkeit: Mütter erzählen stolz vom sauber abgekniffe-
nen Stuhl ihres Erstgeborenen, Rentner vom stillen Glück des Arbeitsla-
gers für die verwöhnte Jugend und so weiter und so fort. Kein Tag vergeht,
an dem nicht aus Treppenhäusern und Fluren der Kommunikationsmüll
quillt, zu nichts weiter nutze, als den Beteiligten das Gefühl zu geben, sie
leben noch. Wenn der Schimpansenpimpf seiner Mama die Zecke aus der
Arschbehaarung rupft, so hat das die gleiche soziale Bedeutung wie das
Gefasel des Wohnungsnachbarn über die letzte Max-Schautzer-Sendung.
Nur mit dem Unterschied, daß die Schimpansenmama den geldwerten
Vorteil der entfernten Zecke zusätzlich zur sozialen Komponente erhält, der
Observationsbericht aus der Welt der dümmlichen Fernsehunterhaltung
hingegen keinen Vorteil birgt. So laßt uns doch endlich aufhören mit dem
Gelaber und zugeben, daß wir nichts Erzählenswertes je erleben und un-
sere Meinung der allerletzte unfundierte Blödsinn ist, der keinen interes-
siert. Statt des Gefasels kehrt wieder Ruhe ein in den Stuben und Fluren:
Nachbarn schneiden sich gegenseitig die Fußnägel, Ehepaare kraulen sich
den Rücken, und Arbeitskollegen bürsten liebevoll die Schuppenflechte
vom Anzug des Vordermanns. Und siehe da, wenn jemand dann seine
Stimme erhebt, hat er tatsächlich etwas zu sagen, und alle hören wieder zu.

KATZE VERFÜHREN

**Wer von uns möchte nicht mal die
Katze vom Nachbarn verführen.
Aber ist das auch richtig? Denken wir
dabei auch an die Katze oder wieder
einmal nur an uns selbst. Tragen Sie diesen
Gedanken eine Weile in ihrem Herzen.**
Kassowarth von Sondermühlen

OBI ET ORBI, SPRIRITUS SANCTUS UND NE DOSE PINSELREINIGER

Baumärkte

Draußen vor den Toren der Stadt liegen sie wie grellbunte Raumschiffe in der Mittagssonne und brüllen uns mit widerwärtigen Neonreklamen an: Baumärkte: Tempel einer okkulten Sekte, die die Spanplatte verehrt und den Dübel anbetet. Zum lauten Wummern der Kabeltrommel strömen sie in ihre gottlosen Kultstätten, fingern vernickelte 6-mm-Linsenkopfschraubbolzen aus den Bundesladen und spannen vor erwartungsfroher Gier den eigenen Piephahn in das willige Bohrfutter eines niedlichen Akkuschraubers.

Draußen an den Tingplätzen der Bekloppten und Bescheuerten stehen die Menhire der Heimwerkerära: Aluleitern zum Aufklappen, Ausziehen, Befingern und Begrapschen. Unterwasserpumpen blubbern brackige Brühe in imaginäre Folienteiche, Schubkarrenmulden türmen sich wie Panzer gemordeter Riesenschildkröten vor dem Eingang des Labyrinths. Irgend jemand muß ein koreanisches Containerschiff mit Dreifachsteckdosen überfallen und den ganzen Weichplastikramsch in die Vorhölle des Bastler-Orkus gekippt haben.

Zwischen den Regalen aufgebaut stehen Videomonitore mit den schlechtesten Filmen der Welt: Endlosserien, in denen unsympathische Mittdreißiger rote Plastikkästen über ihren Köpfen schwenken, aus denen angeblich keine Farbe entweicht, oder autobiographische Streifen von Franz Beckenbauer, in denen er mit einem neuen Schlagbohrmaschinenzusatzgerät seine Bayernkrause stutzt. Schmerwanstige Männer schleppen Styroporplatten mit Eichendekorfolie zum Ausgang, um die Freizeit damit zu versauen, den Wert ihrer Wohnung dramatisch zu senken. Frauen kaufen dunkelgrüne Wabbelmasse, die aussieht wie angefaulter Büffelpansen, und dutzendweise Schnittblumenleichen, um damit ihre Wohnstuben in eine teutonische Ikebanahölle zu verwandeln.

Dazwischen strolchen erwachsene Männer in absurden hellorangefarbenen Kitteln, die trotz gleißenden Neonlichts der riesigen Betonhalle die muffige Schwiemeligkeit eines Tuntenballs bei der Staatssicherheit Ende der 50er Jahre verleihen.

Immer wieder erstaunlich, auf welch häßliche Weise man Wasser aus der Wand laufen lassen oder die ehrliche Präsenz einer Glühbirne zerstören kann. Messingbeschlagene Tapirschniepel konkurrieren mit gebürstetem Chromvanadiumstahl in Form und Größe eines wahrhaftigen Shetlandponipimmels um den Platz über der Porzellanmuschel. Doch wer sich in der Sanitärabteilung noch nicht erbrechen mußte, dem bleibt das Lampenrevier: Gelb-bräunliche Oma-Unterhosen stülpen sich über ach so vernünftigen Energiesparleuchten, und tranige Glimmerfunzeln flackern auf schmiedeeisenbewehrten Eichenplanken. Seinem ärgsten Feind würde man nicht wünschen, sein Leben in derartig widerwärtigem Ambiente zu verschleudern. Dennoch: Jeden Sonnabend zieht es Millionen irregeleiteter Gestalten in die Sakralbauten des kollektiven Bastelwahns. Der einzige Trost für die am Rande Stehenden: Auch die gutmütigste Rasenkantenschere läßt ihren Besitzer auf Dauer nicht ungeschoren. Und dort, wo appe Finger bluten, leuchtet – wo sonst nur Schwachsinn herrscht – ein versöhnlich Lichtelein in der Welt.

Willi Deutschmann: »Kabeltrommeln, näh, für neununddreißick Mack, dat is quasi geschenkt.«

WINTERMANÖVER DER TOTALBEKLOPPTEN
Karneval

Für den Deutschen wird das Leben erst richtig schön, wenn es im Verein betrieben wird. Nur die Angst vorm miesen Abschneiden im offenkundigen Schniepelvergleich hält ihn davon ab, auch den ehelichen Akt in einer Horde lustiger Kameraden abzuziehen. Nur beim Witz ist es dem Deutschen gelungen, der Spontaneität ein für allemal das Wasser abzugraben und die Witzleiche endgültig zu beerdigen. Karneval ist der Name des Sarges. Und an drei Tagen im Jahr wird er durch die Gemeinden getragen. Vornehmlich in den Regionen Deutschlands, die sich dadurch auszeichnen, daß ihre Bevölkerung an der Entwicklung der Schriftsprache nicht teilgenommen hat, wird die Lustigkeit im Stahlkorsett vorgeführt. Auf sogenannten Prunksitzungen öden senile Blödiane mit Witzen, die schon Ötzi in der steinzeitlichen Bäckerblume langweilten, einen Haufen noch größerer Volltrottel an, die dafür auch noch Geld bezahlen. Unmengen pubertierender Mädchen in Phantasiereichswehruniformen mit Einblick im Schritt geilen sabbernde Lokalgrößen in der ersten Reihe auf, und debile Barden reimen sich zur Gitarre den Wolf, bis den aufgedonnerten Trullas im Parkett das geplatzte Mieder um die Ohren fliegt. Wem das noch nicht reicht an widerwärtigem Ekelfrohsinn, der kann sich noch den Jeckenumzügen durch die Innenstädte stellen. Ein Lindwurm aus durchgeknallten Obimärkten ringelt sich durch die Straßen. Auf den Wagen stehen dralles Weiberfleisch und verlebte Kommunalpolitikerfresse, genannt Alfons der Viertel vor Zwölfte und seine Prinzessin Vagina die Dritte. Es folgt ein Troß aus quäkenden Schalmeien und paramilitärischen Idioten, die mit Plastikgewehren in der Gegend rumfuchteln. Wenn sie Holz vor der Hütte haben, heißen sie Gonsbach-Lerchen, mit Pferd unterm Arsch Meenzer Kleppergaard. Das könnte ja alles ganz lustig sein, wenn es nicht in der humorlosen Akribie einer Kfz-Hauptuntersuchung beim TÜV ablaufen würde. Damit trotz aller Vorkehrungen auch kein Spaß aufkommt, gibt es zusätzlich zu den Wagen mit den bekloppten Pseudomonarchen auch noch solche, auf denen angebliche Witze in Pappmaché eingefroren sind. Da nagelt ein fünf Meter großer Helmut Kohl ein riesiges Schwein mit der Aufschrift »stabile Leitwährung«, und am Wagenrand steht in mannshohen Lettern: »Ja, dem Kohl, dem Kohl, dem is nich wohl, ei gucke da die Wutz is hohl.« Selbiger Witz wurde von einem Team des Blau-Weiß Hückeswagen in drei Monaten erarbeitet, dann einstimmig vom Vorstand verabschiedet und in 1200 Arbeitsstunden in einen Wagen umgesetzt. Bravo. Alle Achtung. Blau-Weiß Hückeswagen. Wer meint, diese Form von grausamer Witzigkeit ließe sich nicht steigern, dem seien die Karnevals- umzüge in Oldenburg, Vechta oder Hannover empfohlen. In Köln oder Düsseldorf sind die Menschen von der eigenen Dämlichkeit so gefangen- genommen, daß sie nichts mehr merken. Bei den erbärmlichen Veranstal- tungen in Norddeutschland ahnt hingegen jeder Dorftrottel, daß das, was hier abgezogen wird, nicht im entferntesten an Lustigkeit grenzt, und nur dem wachen Auge des Gesetzes ist es zu verdanken, daß sich die Zu- schauer nicht auf der Stelle vor tiefer Verzweiflung an einen Laternenmast knüpfen. Helau und Alaaf.

TEPPICHFLIESE

Die neuen Teppichfliesen sind eingetrof- fen, las ich 1982 in einem Schaufenster. Ein geradezu überirdisches Glücksgefühl durchströmte meinen Körper. Bis heute konnte ich es mir nicht erklären, doch was geblieben ist, ist die Erinnerung. Geht es uns nicht allen so?

Kassowarth von Sondermühlen

IN DER GOSSE DES DEUTSCHEN FROHSINNS
Nachtrag zum Karneval

Die Hölle auf Erden hat einen Namen: Karneval in Köln. Als Norddeutscher durch widrige Umstände in die frohsinnverseuchte Kloake gespült, schreit und fleht man nach der heiteren Gelassenheit niedersächsischer Beerdigungen, dem gezügelten Amüsement einer Leichenöffnung in Visselhövede, der stillen Würde eines zuckenden Berges gekeulter Mastschweine in Vechta. Denn was an den tollen Tagen in der Hauptstadt der Bekloppten und Bescheuerten geschieht, könnte nicht fremder sein als die Kastrationswochen in Burundi oder der Winterschlußverkauf in Magnitogorsk. Tausende sogenannter Jecken fluten ihre bemalten Zombiehüllen mit obergärigem Schankbier, das rüpelige Urinkellner durch die prallgefüllten Gaststuben schwenken. Da dieses Gebräu außer Harndrang keine körperliche Reaktion hervorruft, muß sich der User anderweitig in Verzückung versetzen. Probates Mittel ist das Grölen dämlicher Absichtsbekundungen wie zum Beispiel: »Mer lasse den Dom in Kölle, denn da jehört er hen«. Was in diesen harmlosen Versen mitschwingt, ist nichts anderes als die nackte Angst, der rechtmäßige Besitzer könnte den Dom wieder abholen. Hätte nicht die preußische Besatzungsmacht im 19. Jahrhundert den Dom nach über 600 Jahren endlich fertiggestellt, die Pappnasenfritzen würden immer noch auf eine Baustelle glotzen. Konrad Adenauer war's, der Preußen zerschlug, um den Dom endgültig für seine Heimatstadt zu sichern. Doch die Angst bleibt, betäubt nur durch die alljährlichen Pseudosaturnalien, bei denen frierende Schnapsleichen durch die Straßen torkeln, in die Kaufhauseingänge urinieren und einander Papierschlangen an die Geschlechtsteile blasen. Kölner Karneval, so grausam kann Fröhlichkeit sein. Lachend geht die Welt zugrunde. Wieviel Wahrheit steckt doch in diesem Satz. Was müssen das für Menschen sein, die stolz in der Fremde erzählen, bei ihnen in Kölle, hurra hurra, da sei man schweinelustig und nicht so ein Haufen grummelnder Selbstmordgefährdeter wie

in Norddeutschland. Nun zeugt ja die ständige Bereitschaft zum Selbst-
mord von einer gewissen realistischen Sicht der Dinge, grundlose Fröhlichkeit hat eo ipso etwas Blödes, Frohsinn als durchgeknallte Wehrsport-
übung wie in Köln was extrem Unverständliches. Es ist, als würde ein

MITMENSCHEN

**Wie oft schlägt man einen
lieben Mitmenschen nieder,
ohne daß man es böse
gemeint hätte. Warum?
Was wollen wir ihm
damit sagen? Ist es nicht
oft einfacher, andere,
die uns nahestehen,
aber nicht gefallen,
beim Finanzamt anzuzeigen?**

Kassowarth von Sondermühlen

Kölner, wenn er von den karnevalistischen Vorzügen seiner Stadt berichtet, erzählen, hurra hurra, wir sind so doof, einmal im Jahr können wir's
vor Schmerz nicht mehr aushalten, dann müssen wir's in die Welt hinaus-
schreien. Ja, wer hätte da kein Verständnis. Ansonsten hab' ich mir schon
immer lieber die Militärparade zum Jahrestag der Oktoberrevolution auf
dem Roten Platz angeschaut als den Kölner Karnevalsumzug. Ja, die Sowjets,
die hatten wenigstens Humor.

KUNDE, VERPISS DICH!

Deutsche Läden

Zwischen den Regalen schleichen mürrische Mannsweiber herum und bewachen die Ware: Läden in Deutschland. »Nur was da steht«, keift es gelegentlich aus der Warenlagerkommandantin, wenn ein Kunde die Frechheit besaß, sich nach *nicht* aufgebahrtem Mumpitz zu erkundigen. Gefällt der feilgebotene Krempel nicht auf Anhieb, folgt ein harsches »Wird aber sonst gern genommen«.

Nichts geht dem Deutschen derart ab wie normale Freundlichkeit hinterm Thresen. Herrenmenschen bei Banken und Sparkassen behandelten den insolventen Kunden schon immer als kreditunwürdiges Leben. Da will nun auch der Ladenschwengel nicht mehr hintanstehen und hat sich ein paar Formeln zurechtgelegt, um die Kundschaft zu verprellen: »Kann sein, daß wir das mal wieder reinkriegen«, »da müßte ich mal 'ne Kollegin fragen, die ist in anderthalb Jahren wieder hier«. Beliebt ist auch die Abschiebehaft in unbewohnte Regionen des Geschäfts: »Dritter Gang hinter den dreizölligen Muffelösen gleich rechts, Kollege kommt dann dahin.« »Kommt dann dahin« – am Arsch. Ein Haufen verblichener Kundengeripppe liegt unordentlich zwischen den Muffelösen herum. Doch nicht immer ist der Laden groß genug, um die Kundschaft in einer Ecke zu verklappen, dann hilft nur noch das bewährte »Kann ich helfen?«, schnarrend vorgebracht wie auf preußischem Kasernenhof. Übersetzt heißt die Formel: »Nimm deine Griffel von den Auslagen, du Drecksau.« Wer da noch die Stirn hat zu sagen: »Nein danke, im Moment nicht«, wird von den Regalkapos so lange mit Blicken durchschossen, bis er gesenkten Hauptes das Geschäft wieder verläßt. Denn nur eins ist dem analfixierten Ladenschwengel wichtig: Er will sich nicht von seiner Ware trennen. Niemand von dem hergelaufenen Geschmeiß dort draußen ist es wert, seine Schätze zu erwerben. Und um den Kundenkontakt möglichst gering zu halten, beharren die kleinen Scheißer in ihren Läden darauf, nur eingeschränkte Öffnungszeiten zuzulassen. Nur dann, wenn alle Kunden keine Zeit haben, wird aufgesperrt, damit sich höchstens ein paar leicht zu demütigende Rentner ins Warenmausoleum verirren. Sind die Ladenkröten schon durch den einfachen Verkauf ihres Krempels völlig überfordert, gibt es zwei Dinge, die sie komplett aus der Bahn werfen: Beratung und Bestellung. Beratung erschöpft sich zumeist in der unschuldig gemeinten Formel: »Hähähä, ich bin auch neu hier.« Oder aber sie überschlägt sich in einer oberlehrerhaften Zurechtweisung, die den Kunden auf den Status eines unwissenden Halbaffen degradiert, nur weil er nicht weiß, daß die linksdrehende Schlingenware besser und damit auch 100mal teurer ist als der toupierte Rattenfilz. Schlimmer noch wird's, kommt man mit einer konkreten Vorstellung vom zu erwerbenden Gegenstand in den Laden, statt sich mit dem angebotenen Restmüll zu bescheiden. »Guten Tag, ich hätte gern einen Rasenmäher mit 4-Takt-Benzinmotor.« Verblüfftes Erstaunen beim Gegner, dann die Antwort: »Da könnte ich ihnen diese 2-Takt-Fräse günstig überlassen.«

»Nur was da steht.«

Der Wunsch des Kunden ist für den deutschen Warenlagerkommandanten der Feind Nummer eins, der vernichtet werden muß, damit der eigene Dreck in dessen Haushalt endgelagert werden kann. Trotz allem: Hoffentlich bleiben die deutschen Läden noch lange bestehen, denn wer weiß, was sich die Heinis sonst einfallen lassen, wenn sie nicht mehr ihren Warenknast zum Spielen haben.

ZU BESUCH IM PÄDAGOGIK-ZIRKUS
Die süßen Kinder

Schon draußen fällt auf, daß in diesem 400 qm LBS- oder BHW-Gehege Kinder gezüchtet werden. Das Grundstück ist übersät mit schreibunten Plastikteilen jeglicher Größe, an deren Entsorgung noch 10 weitere Generationen ihren Spaß haben werden. Über der Haustürklingel klebt ein hellgrüner Knetgummiklumpen mit draufgemanschten Teckelkotwürsten: Sven-Jonas, Caroline-Anastasia, Inge und Fritz Willumeit-Znork. Ding Dong. Ein halbmetergroßer Außerirdischer rast von innen gegen die Tür, reißt sie auf und würgt einen Eimer verdauter Klaus-Hipp-Masse auf das Hosenbein des Besuchers. »Hahaha, unser Sven-Jonas kann schon die Tür aufmachen, ist das nicht toll?« Kein Wort über den süßlich riechenden Glibber auf dem Beinkleid. »Komm doch rein, wir sitzen gerade gemütlich beim Abendbrot.« Abendbrot? Zwei in pädagogische Pranger gefesselte Bälger werfen mit Fischstäbchen und spucken Kartoffelbrei durch das Eßzimmer. Auf Mamis Teller steckt ein Matchbox-Auto mit dem Kofferraum im Ketchup, und Papi sieht aus wie Helmut Kohl in Halle. »Setz dich doch!« Ein zotteliger Familienköter springt unter der Eckbank hervor und onaniert das Hosenbein in die Altkleidersammlung hinein. »Was haltet Ihr denn vom Überfall auf die Sowjetunion, heute vor 54 Jahren«, versuche ich ein harmloses Gespräch anzufangen. »Pipi, Kacka, Pipi, Kacka«, prustet es schon aus dem kleinen Sven-Iwan heraus, und eventuelle antifaschistische Statements des Herrn Papa ersticken im Magensäureregen teilverdauten Kartoffelbreis. Auch Klein Caroline-Anabolika war nicht faul, hat sich aus dem Ikea-Pranger befreit und einen schönen runden Waldorf-Schiß auf den Kokosläufer abgeseilt. »Kacka, Kacka«, kommentiert Sven-Egon sehr richtig und leistet damit zum erstenmal einen korrekten Diskussionsbeitrag. »So, ihr müßt jetzt in die Heia«, hör' ich noch aus dem Mund des Muttertiers, als ein infernalischer Lärm das Blut in den Adern gefrieren läßt. Sowohl der süße Svenni als auch die niedliche Ana haben sich in die besten Tieffliegerimitatoren verwandelt, die ich je gehört habe. Die kleinen Schreigeneratoren scheinen dreiviertel ihrer Nahrungsaufnahme direkt in Dezibel umzusetzen. Haha, denke ich schadenfroh, da wird's aber gleich eins an die Fresse geben. Nichts da. »Wenn Ihr nicht sofort ruhig seid«, kommt es drohend aus dem Muttermund, »dann sperrt der Papi morgen eure Kreditkarten.« Stille! Willenlos lassen sich die juvenilen Verbraucher in ihre Zellen abführen. »So, das hätten wir«, frohlockt Papi, »nur noch ein bißchen Saubermachen und Aufräumen, dann machen wir uns einen gemütlichen Abend.« Während Papi den Kartoffelbrei von der Rauhfaser kratzt und Mami mit KotEx über den Kokosläufer schrubbt, verdrücke ich mich heimlich nach draußen und rase mit meinem Auto in die Notsterilisationsaufnahme des städtischen Krankenhauses.

SCHWULE SAU

Neulich hörte ich einen Nachbarn im Treppenhaus von seinem Sohn berichten: Dieser sei »eine schwule Sau«. Wie kann eine Sau schwul sein? Auch Jugendliche führen oft ein großes Wort und schimpfen über die »Bullenschweine«. Wie schrecklich ist doch solche Rede.

Auch und gerade wenn wir andere beschimpfen oder verleumden, sollten wir auf eine korrekte Sprache achten, denn sonst werden wir unglaubwürdig.

Kassowarth von Sondermühlen

VERWAHRANSTALT FÜR PHANTASIELOSE
Eigenheimlager

Überall sprießen sie aus dem Boden wie warziger Ausschlag der Erdkruste: die Eigenheimsiedlungen am Rande der Stadt. Auf immer kleineren Parzellen versuchen bis zur Organspende verschuldete Kleinfamilien ihre putzigen Starenkästen aufzubauen. Doppelverdienende Kleinverdiener kämpfen verzweifelt mit Schubkarre und Zementfaß gegen die Kostensteigerung im Baugewerbe. An jedem Wochenende werkeln sie an ihren piefigen Hütten und versuchen so, die längst überfällige Scheidung ihrer Ehefassade zumindest bis zur Rohbaufertigstellung hinauszuschieben. Die letzten Groschen werden Oma aus dem Sparstrumpf gestohlen, um sich den Messingdrücker Posthorn an jeder Zimmertür leisten zu können oder auf der winzigen Gästetoilette die Mischbatterie Manhattan aus altdeutschem Platinersatz zu installieren. Und wenn das Museum des kleinbür-

Links: umgepflügter Todesstreifen.

gerlichen Horrors fertig ist, würgt die Gestaltungswut der Bauherren noch eine japanische Teehausfälschung aus dem Heimwerkermarkt in den Garten. Und damit ja nicht die gesellschaftliche Wirklichkeit in Form des nächtlichen Einbrechers in die schwiemelige Gemütlichkeit eindringt, hängt an jedem Maschendraht ein und dasselbe Schild. Gezeigt wird das blödig grinsende Porträt einer genetisch deformierten Hunderasse mit der Überschrift: »Hier wache ich.« Auch wenn sich kein Einbrecher dafür interessieren dürfte, die von Bausparkassen ausgelaugten Loserhütten aufzuknacken, so reizt doch das Schild zumindest dazu, die Haustür zu sprengen, um dem dämlichen Köter die Wumme in den Hals zu schieben. Wenn alle Bekloppten in der Wüstenrot-Gefangenenkolonie ihre Baracke hochgezogen haben, beginnt Stufe zwei des Eigenheimhorrors: Verklagen des Nachbarn wegen feindlicher Übergriffe seines Knöterichs oder zwei Millimeter von der zulässigen Traufhöhe abweichender Dachkonstruktion. Die gegenseitige Zerfleischung der Kolonie ist unvermeidlich, da das Projekt »Eigenheimsiedlung« ungefähr so einleuchtend ist wie »Einsiedler-Kompanie«. Alle hassen einander, weil sie im jeweils anderen die spießige Gewöhnlichkeit des eigenen Lebenstraumes erkennen, aber nicht wahrhaben wollen. Um bewaffnete Auseinandersetzungen im Lager zu verhindern, gibt es nur zwei Möglichkeiten: 1. Turnusmäßig wiederkehrende Sauforgien namens Straßenfeste, auf denen eine behutsame geschlechtliche Durchmischung der Kleinfamilien-Sexkartelle stattfindet. 2. Eine gemeinsame Bürgerinitiative gegen irgend etwas. Z. B. gegen die Durchfahrtstraße, die seit der Römerzeit von den Eingeborenen benutzt wird, nun aber in eine Sackgasse umgewandelt werden soll, damit dem Zugezogenen nicht die Doppelverglasung aus dem Rahmen fällt. Dadurch steigt zwar das Solidaritätsgefühl innerhalb des Baudarlehen-Straflagers, die ganze Siedlung ist in der Gemeinde allerdings so beliebt wie die Schweinepest in Südoldenburg. Das Ende vom Lied: Die Siedlungsheinis stellen einen eigenen Bürgermeisterkandidaten und majorisieren mit ihrer laberigen Argumentationswut die gewachsene Korruption des Gemeinderats. Ergebnis: wieder eine Gemeinde von der klebrigen Anständigkeit der Auto-Bild-Leser und Warentest-Bekloppten erobert. Gute Nacht.

EIN DOOFMANN KANN TAUSEND SCHLAUE ZUM WAHNSINN TREIBEN
Dumme

Dumm fickt gut«, weiß der Volksmund und hat damit den einzigen gesellschaftlichen Vorteil der intellektuellen Minderleistung vollständig beschrieben. Wer jemals außerhalb des Geschlechtsverkehr-Zusammenhangs mit Bekloppten und Bescheuerten zu tun hatte, weiß, daß die Figuren mit der spiegelglatten Großhirnrinde eine wahre Landplage sind. Der Dumme glaubt bedingungslos an sich selbst, was Wunder, er kennt ja auch

DER ALTE SACK
Ein Freischwimmerzeugnis, ein bunter Stein, ein Stück Bindfaden. Was hätte alles werden können aus dem kleinen Hosenmatz. Ein Olympionike, ein Geologe oder gar ein Scharfrichter. Nachdenklich geworden, lege ich die Sachen wieder behutsam in meine alte Pappschachtel. Warum nur, sage ich zu mir selbst, bin ich nur ein alter Sack. Schade.
Kassowarth von Sondermühlen

niemanden sonst. In unserer Gesellschaft wird die Dummheit am meisten gepäppelt durch die Meinungsumfrage, sie gibt dem Haufen Großhirnscheiße ständig das Gefühl, seine unqualifizierte, reaktionäre Blödmannmeinung sei tatsächlich von Interesse. Als ob das nicht schon schlimm genug wäre, gehen Politik, Radio und Fernsehen noch einen Schritt weiter, sie *richten* sich nach dem abgefragten Dreck. Eine sinnvolle Drogenpolitik kommt nicht zustande, weil das ideelle Gesamtarschloch etwas gegen umsonstes Methadon hat; die Glotze rülpst 24 Stunden am Tag schleimigen Abfall in die Wohnzimmer, weil die Doofen sich das tatsächlich gern angucken beim Eierkratzen. Im Radio läuft nur noch Betäubungslala für frisch operierte Laborratten, weil die Idioten sonst beim Autofahren einen Schreck kriegen. Doofheit hat die totale Herrschaft übernommen. Kein Automodell wird mehr auf den Markt gebracht, ohne vorher bei den Behämmerten nachzufragen, in welcher Knuddelkiste sie denn gerne die Sitze vollfurzen mögen. Jede Zeitung veröffentlicht täglich, was sich Freund Affenhirn denn so alles zur Welt zusammenreimt, ob er Scharpings Brille häßlich findet, ob sich Schäuble mal einen schickeren Rollstuhl besorgen soll und ähnliche weltbewegende Dinge mehr. Der Doofe glaubt fest daran, daß alles seine Richtigkeit hat. – Tschernobyl ist auseinandergeflogen, wer weiß, wofür's gut ist. Hinter allem vermutet er eine geheimnisvolle Schicksalsmacht, da er sich die Welt als Ergebnis gedanklicher Vorarbeit ja auch nicht vorstellen kann. Gern raucht und säuft der Doofmann auch viel, ja, wer weiß, vielleicht gehe ich gar nicht tot, hihihi. Die Gehirntätigkeit bleibt darauf beschränkt, die Körperorgane in ihrer Funktion zu überprüfen: Rastet die Rosette noch ein? Ist der Urinstrahl noch gebündelt? Na bitte, dann ist ja alles prima. Auch im privaten Umgang sind die doofen Torfnasen ein Quell ewiger Freude. Sie können sich nicht vorstellen, daß es ein Leben jenseits ihres Gesichtskreises gibt. Sie reißen Zimmertüren auf und fangen sofort an, laut zu quasseln, weil sie nicht begreifen können, daß hinter der Tür auch schon Leben existierte, bevor sie ihren Organträger durch die Zarge schoben. Ständig unterbrechen sie andere bei ihrem Tun und Schaffen und erzählen Anekdoten aus ihrem vergeigten Leben aus zweiter Hand. Wo gibt es in unserer Gesellschaft einen Minderheitenschutz gegen den Terror der Doofen? Warum müssen wir uns ihre Scheißfernsehshows angucken, ihre fade Fertignahrung ertragen, uns ihre blöden Schicksale am Kiosk reintun, wie lange noch treten die Ärsche auf unsern Nerven rum. Marx und Lenin haben gesiegt: Die totale Diktatur des Proletariats ist erreicht.

KINDLICHER WISSENSDURST, ERWACHSENE SCHADENFREUDE

Lüsterner Blick in Lexika

Der Teutone an sich ist gern brachial, so nennt er auch, was dem Lateiner schlicht ein Lexikon, also ein Wörterbuch, ist: Nachschlagewerk. Von definitorischer Faust niedergestreckt, liegen darin die toten Begriffe aufgebahrt. Zu allem und jedem gibt's was nachzuschlagen. Da ist das Rocklexikon, *hier* das Wörterbuch der Bayerischen Geschlechtskrankheiten. Wem nach universellem Bescheidwissen dürstet, für den hält der Handel Brockhaus und Meyer bereit, bekannt geworden hauptsächlich durch die enzyklopädischen Ratenzahlungen. Bescheidener geht's im Telefonbuch zu, dem Nachschlagewerk des Mittelschülers. Doch ob Hundelexikon, ob Rechtschreib-Duden, der erste Akt am just erstandenen Werk ist bei allen der gleiche. Lüstern blättert der Teutone bis zum Buchstaben »F« und schaut nach – na was wohl –, ob das Wort »Ficken« auch ordnungsgemäß vermerkt wurde. Grinsend liest er laut der Gattin vor, wenn der prüde Duden schreibt: »derb für koitieren«. Nühühahaha, was sind das doch für kleine Schweinchen da unten in Mannheim. Sabbernd stellt sich unser Freund das niedliche Duden-Mäuschen vor, das den Eintrag »Ficken« ins Glossar eintippte. Und nur der jähe Blick auf die dumpfe Gattin bremst die spontane Erektion. Noch finsterer wird's, wenn bei Erscheinen des neuen Örtlichen begierig nach den armen Schweinen gefahndet wird, die ein Leben lang den üblen Namen tragen müssen. Und findet sich kein »Ficker, Komma, Herbert, Birkhuhnweg 8«, den man unbekannterweise hämisch bedauern kann, so wird noch hinter jedem »Eickmeyer« übles Gelichter vermutet, das sich den unteren Strich am großen »E« für viel Geld gekauft haben muß. Selbst das dröge lateinische Taschenwörterbuch entgeht nicht der gründelnden Suche nach dem Zauberwort des wohligen Erschauerns. Doch, ach und weh, was müssen wir da entdecken zwischen »Fichtenwald« und »Fieber«? Nichts! Ein gähnendes Nichts! Langenscheidt, du Verräter! Eilig wird nach dem guten alten Diercke-Atlas gefingert! Wieder nichts! Tote Hose zwischen Fichtelgebirge und Fidschi-Inseln. Das gibt's doch nicht. Irgendwo auf der Welt wird's doch wenigstens ein halbwegs versautes Kaff geben. Gott sei Dank: Fickburg in Südafrika! Im Index schamhaft verschwiegen. Was sagt denn der Brockhaus, die zugeknöpfte Sau. Fichtel und Sachs AG, Fichtennadelextrakt, aha – haha! »Ficken«, mhd., vicken soso, ich ficke, nühühaha, 1. oberdt. fahre hin und her, wie bitte, 2. peitsche, züchtige, nun ja, wenn's paßt, 3. stecke in die Tasche, Blödsinn, 4. habe Geschlechtsverkehr. Na also, warum nicht gleich so. Auf die Standardwerke ist eben noch Verlaß.

In jedem billigen Pornoblatt am Kiosk kann der normale Bekloppte das Wort der Begierde tausendfach für wenig Geld in sich aufsaugen, doch nichts gleicht der Lust, einen »Konrad Ficker« im Telefonbuch entlarvt zu haben oder die zugeknöpften Rechthaber der Dudenredaktion beim Blick in den Schritt zu überraschen. Harmlose Freuden der Menschen.

**Drecks-Lexikon:
zu ›Fachwerkhaus‹ ein Bild,
zu ›Ficken‹ natürlich nicht**

WAS SICH DER JAPANER ALLES SO AUSDENKT
Autofocus-Kameras

Vor über 150 Jahren wurde die Fotografie erfunden. Hundert Jahre lang blieb sie ein Hobby der Privilegierten und eine handwerkliche Kunst des Spezialisten. Erst nach dem 2. Weltkrieg wurde sie für jeden erschwinglich – der Fotoamateur entstand. Das war jemand, der wußte, in welcher Weise Verschlußzeit, Blende und Filmempfindlichkeit die Qualität eines Bildes beeinflussen – und er hatte Spaß an seinem Wissen und am souveränen Umgang mit der Technik.

Doch der Fotoamateur ist tot, heute knipst der Blödmann. Der Blödmann ist derart entfremdet von der Technik, daß man ihm jeden Dreck verkaufen kann. Z. B. Fotoapparate, bei denen der Film mit einem Motor zurückgespult wird. Das ist fast so sinnvoll wie ein elektrischer Eierkratzer oder ein Popelautomat. Der Blödmann ist der ideale Konsument, seine Hobbys sind natürlich blöd sein und nichts dazulernen und auf dem Sofa liegen und furzen. Beides unabdingbare Voraussetzungen für den Erwerb einer vollautomatischen Autofocuskamera mit integriertem Blitz und Vor- und Zurückwinder. Jedesmal wenn dieser auf seine Grundfunktionen degenerierte Menschdarsteller den Apparat in die Hand nimmt, sagt ihm dieser: »Hallo Blödmann, wie geht's? Ich, der hochintelligente japanoide Fotoautomat, halte dich für dermaßen bescheuert, daß ich nicht glaube, du könntest deinen rechten Daumen fünf Zentimeter nach rechts bewegen, um den Film ein Bild weiterzuspulen. Also nimm die Griffel weg von mir. Ich mach's mir selbst.« Sprach's, und ein leises Motorsirren zeugt vom Vollzug. Seit der Erfindung des opponierbaren Daumens in der Welt des Halbaffen vor Millionen Jahren sind wir Primaten noch nicht so beleidigt worden. Doch der Blödmann merkt es nicht, er hält es für selbstverständlich, von der Apparatewelt zum Volltrottel abgestempelt zu werden. Und so freut er sich, daß sein Kamera-Automat ihm sagt, wie und was er zu knipsen hat. Freut sich, daß sein grottenlangweiliges Familienfest auf dreihundert Bildern für die Ewigkeit festgehalten wurde, seine fette Oma nach dem Dahinscheiden nicht in die verdiente Vergessenheit abdriftet, sondern in Tausenden schlechter Knipsbilder dem Jüngsten Gericht entgegenmodert und daß die Kamera endlich automatisch festhält, wie Papa des

GUTEN MORGEN

Grad war der Zeitungsbote da und rief mir einen »Guten Morgen« entgegen. Dummer Tropf, was weißt denn du vom Leben. Wie kann ein Morgen wohl gut sein, wenn überall auf der Welt junge Teckelwelpen ertränkt werden, weil der Wurf zu groß war. Sollten wir nicht alle etwas sorgfältiger mit unserer Sprache umgehen angesichts des Elends auf der Erde?

Kassowarth von Sondermühlen

nachts über die käsige Ehesexanbieterin ruckelt, ohne daß das Bild verwackelt. Ist das nicht alles toll, Herr und Frau Blödmann?

Doch heute ist es erst dein Fotoapparat, der dir sagt, was du tun sollst, morgen kann es schon deine Toilette sein. Daran solltest du immer denken, wenn du dein sauer verdientes Geld für überflüssigen Müll rauswirfst. Heute gehört dem Japaner dein Gehirn, sei's drum, doch schon morgen gehört ihm dein Arsch.

DA, WO DIE WILDEN JAHRE ENDEN
Das Nest

Wenn der Pubertätsabsolvent in die Jahre kommt, reflektiert er verschärft über den Gattenmord. Doch vor den Spaß hat der Herr die Mühsal gesetzt, will heißen: Da muß erst noch 'ne schöne Stange Ehe an die Seite gelebt werden, bevor man zum erlösenden Messer greifen darf. Wenn zwei einander versprechen, wird der Rest des Lebens auch noch abgestottert. Im Land des Negers dazumal mußte der Brautzins noch entrichtet werden, bevor das Unvermeidliche dann geschah. Hierzulande darf der Doofste noch das Jawort geben, und wenn's das einzige ist, das er sprechen kann. Erstarrt sind vor allem aber die heidnischen Rituale, die dem Eheversprecher vorausgehen. Da ist zuallererst der Nestbautrieb, ausgelebt vorzugsweise in skandinavischen Möbelhäusern. Paarweise schleichen die

**Glück perfekt,
das erste Heim**

Ehe-Anwärter durch die Gänge und grabbeln nach Björn, dem Sofakissen, und Morgenlatte, dem Kerzenständer. Denn das neue Heim will zugekuschelt sein. Besonders der Platz vor dem Fernsehgerät, dem von nun an die Abende und das Wochenend gehören, obliegt dem Kuschelwahn. Hier ein Deckchen drapiert, dort ein Wölkchen auf die Tapete getuscht, und am Videorecorder stehen ein paar Trockenblumen. Damit der ganze Tand auch garantiert zusammenkommt, liegt vor der Eheschließung eine Liste aus beim örtlichen Geschenkartikel-Dealer. Da haben die Brautleute fein säuberlich notiert, was zum Glücke ihnen noch fehlt: die legendäre Chromagan-Platte, das elektrische Tortenhebewerk, der güldene Dosierspender für den Achselhaarentferner und vielerlei Ehekrempel mehr. So mancher Lediggebliebene fragt sich, warum bei simpler Verdoppelung der Mitglieder der Hausstand auf das Zehnfache anwachsen muß. Doch da ist die Raclette-Zange, der Tischgrill, das Fonduegeschirr, der 12er-Satz Gläser jeweils für jedes denkbare Getränk der Welt – alles nur, um andere Paare ins eigene Nest zu locken, damit für Stunden die Gewißheit der Ödnis durch albernes Geplapper und dummes Geschwätz verdeckt wird. Drum baut sich der Doppelmensch ein Nest, nicht nur um die freche Brut hochzupäppeln, nein, vor allem, um's »gemütlich« zu haben. »Gemütlichkeit« ist das visuelle Gegenstück zum Furz, ein Aggregatzustand der Wohnung, der einzig dem Zwecke dient, ein ideales Umfeld für die Verdauung zu schaffen. Wie beim Verwandten, dem Vogelnest, ist auch der Ehehorst nach dem ersten Jahr schon voller Ungeziefer. Die Milben der menschlichen Paarungsklause sind die sogenannten »Mitbringsel«, die von anderen Doppelverlierern ins Nest geschleppt werden: tausend Dinge, mit denen man Bierflaschen öffnen kann, Fliesen mit dem Schattenriß von Alt-Bielefeld, Erdnußspender in jeder Größe und natürlich Kaffeebecher mit Heinz und Inge drauf. Alles zusammen erhöht den Gemütlichkeitsanteil der Wohnung um ein vielfaches. Oft braucht ein Paar das ganze Leben, um die endgültige Ausbaustufe des Nestes zu erreichen. Und wenn es vollbracht ist, wird schwuppdiwupp ins Gras gebissen, und es kommt der Sohnemann und schiebt den ganzen Mumpitz in den gelben Sack. Tot zu sein, bedarf es wenig, und den Krempel braucht man eh nich.

DIE SICKERGRUBE DER SCHUTZGELD-ERPRESSER

Das Finanzamt

Manchmal sitzt du abends allein vor dem Fernsehgerät und denkst, du bist mutterseelenallein auf dieser Welt. Doch sei gewiß, es stimmt nicht, denn es gibt jemanden, der stets an dich denkt und deine Vernichtung will: das Finanzamt. Flächendeckend hat sich die staatliche Schutzgeldtruppe bis in jede Ritze unseres Alltags vorgearbeitet, nährt sich von unserem Lungenkrebs und bestraft jeden, der zu dämlich ist, in Monaco zu wohnen. Auffällig ist vor allem der rüpelhafte Ton, in dem das Geschmeiß seine Erpresserbriefe abfaßt – für jemanden, der keinen Heller zur Mehrwertschöpfung des Landes beiträgt, doch erstaunlich. Das Arsenal der Folterknechte reicht vom sich selbst vermehrenden Säumniszuschlag bis zu willkürlich festgelegten Krediten, die dem Staat zu gewähren sind. Während Großkonzerne wie BMW ihr Steueraufkommen lässig auf ein Zehntel zurückfahren, hagelt es für die Morlocks Solidarzuschläge, Kinderlosenabgaben und ca. dreitausend andere erpresserische Anschläge. Angeblich werden mit dem Reinerlös Kindergartenplätze und sonstige Knuddelprojekte finanziert, versucht der Krake uns weiszumachen. Papperlapapp. Mit einem Teil der Moneten versilbert sich das bürokratische Gesindel sofort und direkt den Allerwertesten, ein weiterer Teil wird mit Hubschraubern über marodem Industriegelände abgeworfen, und der größte Batzen wird im Finanzamt unter lautem Grölen verbrannt – aus Schlechtigkeit. Nun versucht der Staat seit Jahrzehnten vergeblich, seinen Bürgern klarzumachen, bei Steuerhinterziehung handele es sich mitnichten um ein Kavaliersdelikt, sondern um ein Verbrechen. Angesichts der Milliarden, die vor unser aller Augen täglich in die Grütze gehauen werden, sicher eine ernsthafte Herausforderung für jede PR-Agentur. So werden uns in den Medien auch dauernd sogenannte Lebemänner vorgeführt, die angeblich zig Millionen Mark Steuern hinterzogen haben. Alles Lüge, nur dilettantische Promotion-Manöver des Finanzamtes, um den Steuerverweigerer als unsympathischen Schnorrer zu stigmatisieren. Doch so leicht läßt sich das Volk nicht täuschen. Wer heute nicht seine kargen Vermögenswerte ins Ausland transferiert, um sie vor dem dritten und vierten Zugriff des Finanzamtes zu retten, wird übereinstimmend als Idiot angesehen. Solange dieser Staat seinen Bürgern kein faires Angebot macht, wie der ganze Sums hier zu finanzieren ist, und statt dessen jeden zum Belegfuzzi und Fahrtenbuchdeppen degradiert, so lange muß er sich nicht wundern, daß die »Steuermoral«, bruhaha, was für ein Wort aus dem Wörterbuch des Herrenmenschen, ganz weit unten liegt im Kollektivgewissen. Das Deutscheste aber am staatlichen Eintreiberwesen ist der »Bund der Steuerzahler«. Daß es tatsächlich einen Verein dieses Namens gibt, wollte ich jahrelang nicht für möglich halten. Nun gut, dachte ich mir dann, die armen Schweine werden gezwungen, dort einzutreten, oder können wenigstens ihren Ersatzdienst im Verein ableisten. Nix da. Das ist alles freiwillig. Kaum zu glauben. Das ist in keinem anderen Land möglich. Vielleicht gibt es hier demnächst eine »Interessengemeinschaft der Leute, die sich freiwillig in die Fresse schlagen lassen«.

GLÜHBIRNE

Sinnierend schaue ich in den Wolfram-Faden meiner Glühbirne und weiß, daß es irgendwo auf dieser schönen Welt einen Menschen gibt, der diese Birne für mich gemacht hat, um mir die Finsternis der Nacht zu vertreiben.
Gleich morgen will ich mich an den Schreibtisch setzen und ihm einen Dankesbrief schreiben – guter alter Glühbirnenmensch, welche Freude hast du mir doch so manches Mal beschert.
Kassowarth von Sondermühlen

TOTE SCHWEINE STARREN MICH AN
Fleisch

Gier nach Fleisch: Hier wird ein junger Hund erwürgt

Ein x-beliebiger Supermarkt vor den Toren der Stadt. An der weißgeflie-sten Wand erstrecken sich 30 Meter Fleischtheke wie blutige Sezier-tische in der Gerichtsmedizin für Mastschweine. In riesigen Bottichen fault sogenanntes »Pfannengyros« dem Endverbraucher entgegen, breitge-prügelte Frikadellen mit Vogelfutterstreusel geben das Holzfällersteak. Immer wieder neu und unterhaltsam ist die Schweineleiche. Besonders bei der Grillvorlage tobt die Phantasie des Fleischdesigners. Aufgerollter Bauchspeck, in Schießpulver geschwenkt, mutiert zum Pußtaspieß, Fußnä-gelgrütze im Zwölffingerdarm windet sich als Bratwurstkringel am Mika-dostengel. Das größte aber sind die Zinkwannen mit Thüringer Mett und dem legendären Halb und Halb. Hier hat der Schweineschlitzer die tote Sau am Stück in den Schredder gedrückt, mit Pökelsalz und Flomenresten aufgemotzt und die Leichenmansche breiig in die Wanne gestürzt. Da freut sich die Endverbraucherin, kann sie doch aus dem geduldigen Schweine-Fimo einen Großteil ihrer häuslichen Horrormahlzeiten kneten: ad 1. Der Hackbraten. Hierbei wird der Nährwert der Flomenknete durch eigene Zutaten noch weiter runtergefahren, sehr beliebt sind verschimmeltes Toastbrot aus der Fabrik und Brühwürfel, der Inbegriff des Herzhaften in der deutschen Kleinbürgerküche. ad 2. Die Frikadelle. Sie kann die Verwandtschaft zum großen Bruder, dem Hackbraten, nicht leugnen, beherbergt zusätzlich allerdings noch eine ganze Batterie Gemüsezwiebeln, damit Vatters Selbstbewußtsein wieder wächst, wenn er seinen Freund, den Mastdarm, spürt. Täglich produziert die Fleischindustrie güterzugweise Schweineschredder, damit die wichtigste Errungenschaft der Arbeiterbewegung nicht verlorengeht: jeden Tag einen Brocken tote Sau auf den Tisch. Neben dem gemanschten Viehkadaver hält sich in der Beliebtheit nur das Schnitzel, die Volksdroge Nummer eins. In der Fleischtheke schon bratfertig frisiert zu kaufen als Wienerschnitzel in Sägespanhülle, als Jägerschnitzel in hellbrauner Pampe mit Plastikpilzen und, als die Krönung multikulturellen Schweinetunings, das Zigeunerschnitzel. Jeu, Zigan, nimm deine Geige und heiz uns den Darm. Eine Tunke aus zermahlenen Marika-Rökk-Filmen, etwas Alexandra und einer Messerspitze Lilo Pulver verwandelt den faden arischen Fraß in loderndes Balkanfeuer. Und – jetzt kommt's – dieses gottgleiche Dreigestirn der deutschen Fleischgestaltung gibt es in einer B-Reihe zusätzlich auch als Kotelett – neben dem hehren Manta sozusagen noch den Ascona der teutonischen Schweinewelt. Da ist das gleichfalls extrem multikulturelle Zigeunerkotelett, das eher biederkonservative Jägerkotelett, und im Unterschied zur Schnitzel-Reihe kennen wir in der Economy Class den Vertreter im Spanplattendekor nicht als Wiener, sondern lediglich unter der Bezeichnung »Kotelett«. Übrigens für alle, die erst jetzt in die Szene der Schweine-Klassiker einsteigen: Die Panade-Edition gibt es auch kalt direkt aus der Vitrine. Mit megascharfem Löwensenf eine Delikatesse der späten Stunden am Biertresen. Jäger und Zigeuner sollten dagegen nur heiß verzehrt werden, da die namensgebende Tinktur auf der Oberfläche im kalten Zustand ein eher unappetitlich lepröses Erscheinungsbild abgibt. Heil Fleisch!

TSCHUNGTSCHUNGTSCHUNGTSCHUNG-TSCHUNGTSCHUNG...

Terror der Beschallung

Kaum eine Ritze in dieser Gesellschaft, aus der keine Lala quillt. Kaum ein Ort, an dem man nicht berieselt wird von sirupartigem Mainstream-Gejaule. Sogenannte »Musik« ist zur Umweltverschmutzung Nummer eins avanciert. Man möchte sich Schallschutzwände auf die Schultern mauern, wenn man ins Kaufhaus geht. Selbst an sich vernünftige Zeitgenossen verseuchen ihre vier Wände mit dem Gewinsel der Schmalspurbarden aus den Hitparaden. Sogar in die Stille des Landlebens zieht man sich zurück, um ungestört von Dritten die Verblödungssauce über den eigenen Brägen zu jauchen. Die Schergen aus dem Superladen mag man noch verstehen, wenn sie die Doofbacken-Lala gezielt auf den Verbraucher träufeln, um ihn in eine tranige Konsumlaune zu lullen. Was aber ist mit den Heinis, die just den nämlichen Bekloppten-Soundtrack für teures Geld auf CD nach Hause schleppen, um die heimische Muffelhöhle mit RTL-Klassik oder Flocki de los Rios und seiner Bande vollzusiffen. Gut: Eine laute Lala ersetzt das Gespräch mit dem öden Ehe-Mitinsassen, doch auf Dauer zieht sich das Großhirn in den Arsch zurück. Quillt dann noch im Auto und im Büro der Schleim aus den Radiogeräten, dann fragt man sich, ob es schlußendlich nicht doch günstiger wäre, die Schlagbohrmaschine an die Schläfe zu setzen. Sehr witzig gibt sich auch der gemeine Freiluftveranstalter. Kein Gebrauchtwagen-Open-Air, kein Pony-um-die-Wette-Humpeln, bei dem nicht zwischen den debilen Ansagetexten ein Gebinde Volksmusik aus den Hochton-Quäkern am Fahnenmaste plärrt. Merkwürdigerweise gilt der Terror der Beschallung den Veranstaltern als zusätzlicher Besucheranreiz, für den sie sogar Geld zu zahlen bereit sind, der gebührenfreie Verkehrslärm hingegen wird bekämpft. Doch wie lieblich ist der gutturale Klang einer startenden TransAll gegen das erbärmliche Gewinsel der Volks- und Popmusiker. Warnte einst die Oma schon vor den fatalen Auswirkungen der »Jimmi-Jimmi-Musik« ihre Enkel, so muß die Warnung heute der Musik generell gelten. Nicht ihre jeweilige Gestalt, ob Schlager oder Techno, ist es, die sie so unerträglich macht, sondern die heuschreckenartige Verbreitung. Mit der Erfindung der Musikcassette ist die Aufzeichnung und Absonderung von musikalischem Müll fast kostenneutral zu gestalten. Der Neger, seiner Zeit wie immer weit voraus, lief schon vor Jahren mit dem geschulterten Brüllschrank durch die Straßen, um ja keine Sekunde unbeschallt leben zu müssen. Er wurde zum Symbol des Krachjunkies, wie er heute in jeder Szene anzutreffen ist. Wegwerf-Lala auf Wegwerf-CDs in Billigblastern wummert aus jeder bewohnten Höhle. Menschen können nicht mehr singen und kaum noch sprechen, doch soviel Trost ist gewiß, bald sind unsere Ohren so zugeschissen, daß wir auch nicht mehr hören können, und juppheidi, dann kann man endlich wieder seelenruhig ins Kaufhaus gehen.

PENISLÄNGE

»Wie lang ist eigentlich Ihr Penis, Herr von Sondermühlen«, fragte mich gestern in der Früh der Postbote beiläufig. Ich konnte es ihm nicht sagen. Nachher habe ich mich geschämt, daß ich nicht einmal die einfachsten Dinge von mir weiß.
Wie genau kennen wir uns eigentlich selbst? Darüber sollten auch Sie einmal nachdenken.
Kassowarth von Sondermühlen

WATERLOO AM VIDEORECORDER
Verpackungen

Der Mensch ist des Menschen Wolf, formulierte einst der Lateiner in seiner klassischen Mundart und hatte da sicherlich die Hersteller von Audio- und Videocassetten im Auge, die aus reiner Schlechtigkeit ihr Wegwerfprodukt mit einer hauchdünnen Folie aus der Weltraumforschung überziehen. Als ob der Homo sapiens nicht schon geschlagen genug wäre durch Krebs und Steuerpflicht, gibt es immer wieder nette Schöpfungskollegen, denen noch 'ne Schweinerei zusätzlich einfällt. 20.14 Uhr. In einer Minute läuft im Fernsehen Casablanca, und zwar der Directors Cut, in dem Adolf Hitler himself eine kleine Rolle in Paris übernommen hatte. Der überflüssig komplizierte VHS-Kasten wurde mit Hilfe eines koreanisch/holländischen Wörterbuchs schon vor Tagen programmiert. Harharhar. Nur noch die frisch erstandene 180er reingeschoben. 20.14 Uhr und 45 Sek. Etwas nervös geworden, versuche ich die Cellophanhülle anhand des eingeschweißten roten Bändchens zu entfernen: 1 qmm Hülle lösen sich problemlos ab, dann war's das mit dem Fisselband. 20.15 Uhr. Ahhrrr! Ein leicht debil wirkendes Ansagemädel murmelt einen zusammengestoppelten Text aus dem Heyne-Filmlexikon herunter. Gott sei Dank! Mittlerweile kratzen die Finger wie ein eingesperrtes Rattenweibchen an der Folie herum. Autsch! Eine Heftklammer löst sich aus der Verpackung und fährt unters Nagelbett des Zeigefingers. Rutschig geworden vom frischen Blut, glitscht die Kassette auf den Teppichboden. 20.16 Uhr. Das Ansage-Mäuschen hat das Gehirn wieder zugemacht und grinst derweil, bis der Kollege in der Regie aufwacht und die Kamera abzieht. Verdammt, verdammt! Adolf Hitler und Humphrey Bogart – eine Traumbesetzung! Endlich, ein Anfang ist gemacht, an einer Ecke löst sich das vermaledeite Cassettenkondom, weitere 2 qcm VHS-Pelle lassen sich freischälen. Dem Himmel sei Dank hat sich jetzt noch der Werbeblock vor den Filmklassiker geschoben: Doofe Kinder und fusselnde Köter hampeln um Hundepralinen und Kom-

ICH BIN BEKLOPPT

Neulich sah ich einen Halbwüchsigen in der Stadt, der ein T-Shirt trug mit der Aufschrift »Ich bin bekloppt«. Alle Achtung, junger Mann. Wer von uns, mal Hand aufs Herz, hätte wohl den Mut, sich zu seinen Unzulänglichkeiten zu bekennen. Er sollte uns ein Vorbild sein. Laßt tausend T-Shirts blühen mit unseren kleinen Schwächen: »Ich pinkel immer neben das Becken«, »Ich bin ein Mörder« oder »Ich bin eine Frau«. Wieviel schöner wäre doch dann das Leben, meinen Sie nicht?
Kassowarth von Sondermühlen

biautos herum. Nachdem die messerscharfe Pappkante ein weiteres Nagelbett in eine Blutlache verwandelt hat, erinnere ich mich an den Werkzeuggebrauch, den sich unsere Ahnen vor ein paar Millionen Jahren ausdachten. Schon hacke ich mit der Papierschere auf der feindlichen Folie herum und löse weitere 4 qcm aus ihrem Klammergriff. Dem Werbeblock hat sich allerdings schon die Kaskade der Programm-Trailer angeschlossen, in denen der Sender auf sein komplettes Verblödungsangebot aufmerksam macht. Verdammt, verdammt! Die Klinik am Rande des Friedhofs, morgen 18.30 Uhr, bosnische Mütter berichten über Inzest mit ihren beinamputierten Söhnen. Schreinemakers live. Ich freue mich auf Sie. Sender-Logo. Neihein! Noch sind dreiviertel der Cassette folienumspannt. Jetzt hilft nur noch eins: beherzter Griff zum Feuerzeug. Schmurgel, Britzel, weg ist der Spuk! Halt! Aus! Aus! Um es kurz zu machen: Die teilverbrannte VHS-Cassette liegt im gelbem Sack, Casablanca mit Adolf Hitler hab' ich mir dann auch gar nicht mehr angeguckt. Wozu, wenn man's danach nicht auf Cassette hat. Den Abend verbrachte ich mit einem Brief an die Firma Fuji in Japan. In diesem Schreiben stellte ich weitere Teilauslöschungen der Tokioter U-Bahn-Fahrgäste in Aussicht, falls sich an der Verpackungspolitik nicht umgehend was ändere.

DAS LEBEN IST EINE DEPONIE
Wertstoffsäcke

Schön war die Zeit, als man seinen Hausmüll noch einfach in den Wald bringen konnte: gelebte Anarchie einer hedonistischen Gesellschaft. Heute wird der Abfall zuerst in acht verschiedenen Säcken sortiert und *danach* in den Forst gekippt: geboren ward der Wertstoffsack, eine Offenlegung der Intimsphäre aus durchscheinendem Plastik. Am Abend vor der Abholung streichen die Bekloppten durch die Straßen und glotzen in die Säcke der anderen: *Na, wieviel Mariacron hat die dicke Nachbarin denn letzte Woche verklappt? Sieh an, dort wird die Stütze auch 1 : 1 in Appelkorn umgesetzt.* Doch wer heimlicher Trinker bleiben will, muß in mühsamer Kleinarbeit die verräterischen Etiketten im Wasserbad von den Flaschen lösen, bevor sie im Wertstoffsack veröffentlicht werden können. Die andere

Mülltrennen ist Frauensache

Geißel der Mülltrennung ist die Verlagerung der Deponie in die eigene Wohnung. Monatelang schwelen acht Tüten im Wohnzimmer herum, bis sich endlich genug Joghurtbecherdeckel oder Verbundwerkstoffe gefunden haben, um den Sack an die Straße zu bringen. Schon im Supermarkt stellt man das Gebinde Chablis traurig ins Regal zurück und greift statt dessen zum Sechserträger Maggi, um endlich genug Braunglas für den Wertstoffsack zusammen zu bekommen. Als es noch die einfache Mülltonne gab, in die alles unsortiert reingefeuert wurde, wußte jedermann: Gleich kommen die bösen Männer in den orangefarbenen Overalls und bringen meinen Schweinkram in den Wald, hujuijui, was bin ich doch für eine Drecksau. Das war gut und richtig. Heute glaubt der leicht zu täuschende Verbraucher-Blödi, er produziere tatsächlich »Wertstoffe«, wenn er den gleichen Schweinkram, auf acht Säcke verteilt, in den Wald fahren läßt. So sammelt und sortiert die ganze nette Eigenheimfamilie tagaus, tagein die Plastikkacke aus dem Pupsimarkt und denkt wunders, was für brave Umwelthäschen sie doch sind. Bis, ja, bis die bösen Männer in den orangeroten Overalls eine 30 ha große Deponie vor der Siedlung auf die Wiese knallen. Ooohhhh, weint dann die Pedigree-Pal-Familie und gründet eine lustige Bürgerinitiative gegen den Müllberg. »Wir haben doch so schön alles sortiert und gesammelt und viele viele Wertsoffsäckchen an die Straße gestellt, und jetzt kommen die bösen Männer und wollen uns vergiften. Das finden wir gemein!« Sicherlich! Aber Einfalt schützt vor Strafe nicht. Es ist, als ob eine Gesellschaft eine Bürgerinitiative gegen den eigenen Arsch gründen würde. Was kann der Hintern dafür, daß der Kopf soviel frißt. Wo sind denn die Bürgerinitiativen gegen die Pupsi- und Hupamärkte, die mit ihren Verpackungsmüll-Filialen noch das hinterletzte Dorf zupflastern? »Unsere Gesellschaft verwandelt wertvolle Rohstoffe in unverdauliche Scheiße.« Das ist die schlichte philosophische Wahrheit einer Hausmülldeponie. Ehrlich und gut. »Du kannst soviel Mist kaufen, wie du willst, nachher trennen wir das so lange, bis es ganz wertvoll ist.« Das ist die Lüge des Wertstoffsackes. Drum kippt eure alten Lacke heimlich vor den Baumarkt, schmeißt die Einwegflaschen beim Hupamarkt-Filialleiter in den Vorgarten, und deponiert den Rest in eurem Wohnzimmer, denn da gehört er hin.

AASGEIER MIT LANGEN HÄLSEN
Land der Gaffer

Des Deutschen Lieblingsbeschäftigung ist zweifelsohne, den Nachbarn vor den Kadi zu schleifen, wenn er ihn bei einer winzigen Unregelmäßigkeit ertappt. Doch fast ebenso gern starrt er ihn dabei an. Ganz gleich, was man tut in dieser Republik, man kann sicher sein, kurz darauf schlappt eine Rentner-Lemure aus ihrer Behausung und glotzt ungeniert. Jede noch so winzige Abweichung von der Ödnis des Alltags wird mit Anstarren beantwortet. »Ein grauer Opel parkt schon seit 10 Sekunden vor meiner Tür«, meldet das wachsame Mütterlein stante pede aufs Polizeirevier. Man mache den Test, stelle seinen PKW gegen Abend in einer Wohnstraße ab und lehne sich rauchend für ein paar Minuten an die Kühlerhaube. Zuerst schwenken die Gardinen wie ein Mann zur Seite, kurz darauf knarren die Aluzargen, und frischgebadete Frührentner wackeln unsicher Richtung Jägerzaun. Sie sind das glotzende Kanonenfutter des neugierigen Anrainers. Sollte es sich bei dem rauchenden Figuranten etwa um einen tollwütigen Tschetschenen handeln, so verbleibt lediglich der nutzlose alte Sack im Felde. Besagte Kreatur baut sich nunmehr an der rustikalen Einfriedigung auf und fängt mit Glotzen an. Keine weitere Reaktion, kein freundliches »Hallo«, auch kein »Was machen Sie denn hier?«, sondern einfach nur Glotzen, dummes ungeniertes Anstarren, vor hundert Jahren noch ein Anlaß, Satisfaktion zu verlangen, sprich: die Duellpistolen um Rat zu fragen. Heute glotzt jeder Bekloppte ungestraft auf alles, was er für anglotzenswert hält. Am liebsten natürlich auf die Autobahnleiche, die frisch aus dem Wrack geschnitten im eigenen Blut auf dem Asphalt liegt. Dafür staut sich der Gaffer auch schon mal freiwillig, wenn er für einen Sekundenbruchteil menschliches Elend mit den Augen aufsaugen kann. Doch zumeist tut es auch das weniger Spektakuläre: junge Menschen mit grünen Haaren, alte Leute, die sich auf'n Bart legen – stets ist der erste Impuls: Stehenbleiben und in Ruhe mit Gaffen anfangen, dann kann man immer noch weitersehen. Noch gar nicht lang ist's her, da wurde noch dem Neger hinterhergeglotzt. Heute sehr beliebt als Anstarrungsfläche ist das ethnisch gemischte Pärchen: vorzugsweise die blonde Frau und der schwarze Mann, aber auch der teutonische Wampenträger und die asiatische Lolita. Der Klassiker unter den Anglotznehmern ist und bleibt aber der Behinderte. Vor gar nicht langer Zeit noch als Freakshow über die Jahrmärkte gekarrt, leben die Normabweichler ja heute mitten unter uns – dürfen aber nicht mehr ungeniert angestarrt werden, weil man das ja nicht macht. Wenn man das aber nicht mehr darf, dann sollen sie auch in ihren Heimen bleiben und nicht mit uns in Urlaub fahren oder neben uns wohnen. Basta! Dann glotzen wir doch lieber ungestraft den doofen Nachbarn an.

TRAINER

»Trainer lügen nicht«, weiß der deutsche Schlager. Doch haben nicht wir alle schon mal einen Bundesligatrainer dabei ertappt, wie er im Sportstudio die Unwahrheit sagte. Nicht alles, was der Schlager behauptet, entspricht der Wahrheit. Da heißt es auf der Hut sein beim Radiohören.

Kassowarth von Sondermühlen

DER BLICK DURCH DIE EIGENE UNTERHOSE AUF DIE WELT

Das Getümel

Am nächsten bei sich ist der Bekloppte und Bescheuerte dort, wo getümelt wird: im Brauchtum oder Volkstum. An die Fertiggarage nagelt er das tümelnde Fichtenbrett aus dem Baumarkt, um den Opel abends in einer Pseudoalmhütte zu parken, seine Jeansjacke hat Hirschhornknöpfe aus Plastik am Revers, Mamas feister Entsorgungsschacht ist in waidgrünes Trevira mit Rehkitz-Applikationen getaucht. Wie einst der Führer klebt auch der Endverbraucher gerne Decefix in Holzdekor über den nackten Beton. Plastik darf auch nicht Plastik sein, sondern wird durch Mooreichenmimikri zum respektablen altdeutschen Holzstubben mit kerniger Lebensweisheit hochgetümelt: »Futtern wie bei Muttern. Ficken wie die Ricken.« Überhaupt ist in der Privathölle des Obi-Menschen nichts so, wie es scheint: Die angebliche Klinkerfassade ist eine Asbestplatte, die Pendeluhr

LIEBE DEINEN NÄCHSTEN

»Liebe deinen Nächsten wie dich selbst«, diese kleine Zeile aus einem Lied von Bata Ilic kam mir heute morgen in den Sinn. Und je mehr ich drüber nachdenke, desto mehr wird mir klar, welch tiefe moralische Erkenntnis in dieser harmlosen Schlagerzeile steckt.

Kassowarth von Sondermühlen

hat ein Quarzwerk, die Eichentür ist aus Pappe, die Fenstersprossen sind Plastikknüppel in der Doppelscheibe oder Klebestreifen, und der Pudel trägt eine Perücke. Wem spielen die Hirnverbrannten eigentlich was vor? Warum kleben und tackern sie auf alle Dinge ihrer Umgebung diesen schwiemeligen großdeutschen Arierkitsch. Was ist das Bauhaus gegen den Baumarkt, diese Albert-Speer-Ausgabe für Arme. Es tümelt jedoch nicht nur der Privatbekloppte, auch die Gemeinschaft will nicht nachstehen: Bushaltestellen, die aussehen wie kleine Fachwerkkotten, frischverlegtes Betonpflaster mit vorgeriffelten Spuren alter Kutschwagen – so tümelt die Kommunalverwaltung. Warum kein Atomkraftwerk aus Fachwerk – ist doch hübsch – oder Plastikblätter an den Strommasten, ist doch netter als der doofe Wald? Oder nicht? Wär' doch gelacht, wenn man nicht auch die Wohncontainer unserer Asylantenfreunde ein wenig folkloristisch überjauchen könnte. Fachwerk ist immer hübsch, da vergeht selbst dem Neger die Zeit bis zur Abschiebung wie im Fluge.

Wann wächst sie endlich raus aus dem Volk, die kissenfurzige Verklärung der Agrargesellschaft? Wohnmobilverkäufer und Versicherungsvertreter hoppeln am Abend im Trachtenverein übers Parkett der Keglerkneipe. Erntedankfest in der Spielothek. Klöppelabend bei Obi. Da freut sich der Reichsnährstand. Wie angetrocknete Speisereste kleben die Überbleibsel der bäuerlichen Gesellschaft an den Fassaden der Endverbraucherwelt und bilden die muffige Gemütlichkeit des Heimatgetümels. Widerlich: das Damwildgehege neben dem Cityparkplatz, die aufgebockte Feldbahnlokomotive am Hupamarkt, die verschnörkelten Gußeisenpoller auf eingefärbtem Rustikalbeton zu Beginn der Fußgängerzone. Ich freue mich schon darauf, wenn in ein paar Jahrzehnten unsere heutige bäuerliche Gegenwart in den Sog des Getümels gerät: Güllefässer im Heimatmuseum, Elektrozangen zum Schweinekeulen über dem Kamin, Edelrestaurants in alten Hähnchenmastställen und die Trachtengruppen: proper gewandet in C&A Westbury-Klamotten. Juppheidi heida! Am Sonnabend schleicht der Doofe zu Obi-The Next Generation und kauft Betontapeten, am Sonntag trifft sich der Heimatverein und sprüht die S-Bahn-Wagen voll. Großartig!

RITUALE EINER VERSUNKENEN EPOCHE

Hinaus zum 1. Mai

Normo-Gestalten, Typus gereiftes ADAC-Mitglied, stieren gelangweilt in die Peek-und-Cloppenburg-Auslagen. Neonverpackte Gören quengeln an den Spüli-Pranken gefärbter Hausfrauen. Über die trostlose Waschbetonfläche wabert der Shatterhall eines billigen PA-Verleihers. Das aufmodulierte Nutzsignal kommt aus dem Mund eines fuchtelnden Mittfünzigers. Wir sind auf einer Maiveranstaltung der Postgewerkschaft. Willkommene Gelegenheit für den mittleren Dienst, schon am Vormittag das ein oder andere Bierchen einzupfeifen. Die stillen Stars der Arbeiterklasse, Pils- und Bratwurstbuden, bilden den authentischen Kern des betagten Zombierituals. Überall in den Fußgängerzonen versichern sich an diesem Tag die Gewerkschaften ihrer Restexistenz, fordern kleinlaut irgendwas, um das Jammertal des ausdifferenzierten Kapitalismus an den Rändern etwas aufzumotzen. Doch wer meint, mit der Phrasenkanonade des Fuchtelknaben auf dem Podium sei das Schlimmste überstanden und man könne sich nun endlich der Freiluftgastronomie widmen, sieht sich getäuscht. Es folgt der gnadenlose Angriff auf die Sinne: Gewerkschaftskultur! Wer Glück hat und in einer tradionsbewußten Arbeitergegend wohnt, muß sich nur die Knappschaftskapelle mit einem ABBA-Potpourri gefallen lassen. Schlimmer ist es dort, wo die Gewerkschaftsjugend das Sagen hat. Todsicher grölt dann der ideale Gesamtneger über den Platz, gern in der Gestalt der Salsa-Gruppe oder des kurdischen Trachtenvereins. Schaut her, Genossen, wollen uns diese Aufführungen sagen, der Ausländer ist gar mopsfidel und kann auch lustig mit den Armen und Beinen wackeln. Multikulti-Tralala Widdewiddewittjuchheirassa! Trotz verblichener Nelkenrevolution und ausgeleiertem Nicaraguablödsinn ist die Utopie der gewerkschaftlich orientierten Jugend die gleiche geblieben: Sinnvoll rumlungern, da wo's warm is. Die älteren Genossen sind da längst realistischer geworden. Gehärtet in den Stahlgewittern der Rezession, aufgequollen durch Lindan und Kartoffelchips, wagen sie sich bestenfalls drei Wochen aus dem Einflußbereich der bundesdeutschen Apparatemedizin davon. Ihre Utopie ist der TUI-Katalog und der Kontoauszug, und wenn beides okay ist, ist auch sonst alles okay. Hinaus zum Ersten Mai treibt sie das gute Wetter: der Sonderfahrschein der Verkehrsbetriebe und die Currywurst ist ihnen Internationalismus genug. So erscheinen auch die innerstädtischen Menschenansammlungen an diesem Tag eher wie Werbeausstellungen für schweißdurchlässige Freizeitjacken und lila Alufahrräder als wie das kämpferische Aufbäumen der Arbeiterklasse. Nun ist die Häme auch leicht vergossen über das zwanghafte Gehampel und Gepimpel der Gewerkschaften, fehlt doch das Pendant zum Tag der Arbeit, der Tag der Ausbeutung. Und ich wäre doch zu gern dabei, wenn sich der Arbeitgeberpräsident in der Fußgängerzone an seinesgleichen wendet und die neuesten Errungenschaften der Kapitalflucht referiert. Doch leider labt sich der sogenannte Leistungsträger lieber heimlich am Shrimp, statt öffentlich seine Strategien hinauszuposaunen. Immerhin werden wir dadurch von Arbeitgeberkultur verschont und müssen nicht Justus Frantz oder Friedrich Kurz in der Öffentlichkeit ertragen. Dann schon lieber Pils und Currywurst.

KOTZE

Es ist noch nicht lange her, da verstand man unter »Kotze« einen umhangähnlichen Mantel. Was ist heute aus diesem schönen Wort geworden. Wie unsere Sprache doch verroht. Was wird man in 20 Jahren unter ein »Liebe« verstehen? Einen eitrigen Abszeß an der Peniswurzel des Mantelpavians? Wollen wir's nicht hoffen.

Kassowarth von Sondermühlen

IRDISCHES JAMMERTAL, TIEFERGELEGT
Geburtstage

Soziologen haben errechnet, daß jeder Mensch durchschnittlich 200 Freunde und Bekannte hat. Das kann nicht sein, denn das wären ja nur 200 öde Geburtstagspartys im Jahr, mir kommt es eher vor, als seien es 365. Dauernd schleichen Kollegen durch die Firma, ziehen einen Heiermann ein, um vom Gesamterlös einem bedauernswerten Mitgefangenen einen Tischgrill zu besorgen, dargereicht im Set mit einer vorgedruckten Glückwunschkarte »Kaum zu glauben, es ist wahr, hähähä wird heut' 40 Jahr.« Für höhöhö hat jemand mit Kuli Egon reingekrakelt. Nach Büroschluß gibt's 'n Gläschen Schädelsprenger und 'ne Salzlette, und der Geburtstag wäre glücklich abgehakt. Schlimmer ist's bei engeren Bekannten. Wie um stets daran erinnert zu werden, daß unsere irdische Existenz ein Jammertal ist, veranstalten sie sogenannte Geburtstagspartys. Davon lebt mittlerweile eine ganze Industrie. In »Geschenkboutiquen« kann man all die drolligen Staubfänger kaufen, die am Eingang überreicht werden: Raumschiff Enterprise als Toilettenbürste, Plüschaffen, die lustig pfeifen, wenn man ihnen die Eier krault, oder Hundescheiße aus Gummi, die man in den Nudelsalat legt. Hahaha, ham wir gelacht. Für den eiligen Geburtstagsyuppie gibt's dann noch den Partyservice: Verbrecherorganisationen, die für ein Stück vertrockneter Weißbrotrinde nebst totem Shrimp und Mayonnaise-Pups 5,80 Mark berechnen. Da man vom Fressen allein nicht lustig wird, kreist die Puffbrause, und – huhuhaha – um zwölf kommt ein öliger Südländer durch die Tür und reißt den Schlüpfer runter. Inge kriegt rote Ohren, als der gedungene Nubier seinen Otto an ihren Dingern reibt und alles juchzt. Tolle Stimmung, famose Party. Doch alles ist gekauft, von allein läuft nichts. In der Küche stehen sechs Männer mit dem Arsch am gerupften Buffet gelehnt und schwadronieren über die Existenzfolter im öffentlichen Dienst, an der Hausbar serviert der Gastgeber eigene Cocktailkompositionen: »Einmarsch in Bagdad« – eine Hommage an den Golfkrieg aus

drei Sorten Whisky, Kümmel und Dattelsaft; »Alien 3«: angebrüteter Ei-
dotter in Wodka usw. Nach einer Stunde sind seine bedauernswerten
Opfer reif für den Rettungshubschrauber. Unterdessen ist die allgemeine
Fröhlichkeit nicht mehr zu bremsen, auch bekannt unter dem Namen:
Kampftrinken mit wechselseitigem Ziepen an den Geschlechtsteilen. Vier
Uhr nachts, die bestellten Taxichauffeure klingeln an der Tür, nur um vom
Gastgeber wütend wieder davongejagt zu werden: Hahaha, hier kommt
keiner lebend raus, jetzt geht die Sause erst richtig los. Von wegen. Nach-
dem der geordnete Rückzug abgeschnitten wurde, macht sich schlagartig
Ernüchterung breit. Die lange verdrängte Frage »Wer fährt?« taucht am
vernebelten Horizont der zugedröhnten Köpfe auf. Hihihi. Die einen werfen kalt lächelnd den Führerschein ihrer Begleiterinnen in die Flensburger
Opferschale, die andern krümmen sich in Embryonalstellung auf der Auslegeware und dämmern dem Sonnenaufgang entgegen. – The day after:
Nudelsalatreste zwischen der Shakespeare-Erstausgabe, Shrimps drehen
sich einsam auf Plattentellern, Leiber zucken am Boden, Münder, so trok-
ken wie die Mojave-Wüste, krächzen nach Aspirin. 40 Gestalten werden
diesen Tag dem Bruttosozialprodukt wieder einmal vorenthalten. 40 Rest-
gehirne werden ein »Nie wieder« formulieren, doch morgen wird die Gabi
34 und wäre echt sauer, wenn es keine tolle Party mit ganz vielen tollen
Leuten gäbe. Herzlichen Glückwunsch!

Ganz toll: Kreativlinge hacke wie Hulle

... ALS OB DAS LEBEN EWIG WÄHRTE

Tristesse des Alltags

Was ist es eigentlich, das uns täglich runterzieht und verzweifeln läßt: Es ist die ständige Wiederkehr des Banalen: das Brötchenschmieren, das Staubsaugen, das Tanken. »Wie oft«, fragen wir uns, wenn wir wieder mal an Säule 4 glasig in die Ferne starren, »wie oft muß ich hier noch stehen in meinem Leben?« Das kann doch nicht alles gewesen sein auf Erden: an Säule vier stehen und den Rüssel in den Fiesta halten? Doch wenn wir an der Kasse sind, wissen wir nicht einmal mehr, welche Säule es war: Tücke des Banalen, Tristesse des Alltäglichen. Das ganze Leben scheint angefüllt mit Handlungen aus dem Baukasten der Langeweile, die sich zu den immer gleichen Mustern Tag für Tag verknoten: Müll an die Straße stellen, Kontoauszüge abheften, Milchtüten aufreißen, und immer wieder Tanken – doof an Säulen stehen und in die Ferne starren. Immer denselben Satz lesen: »Bei Scheckbezahlung wird eine Gebühr von DM 0,50 erhoben.« Hilfe, laßt mich hier raus! Um uns herum steht ein Zaun aus Geboten: »Bevor man auf die Straße geht, zieht man sich eine Hose an.« – »Wenn die fette Pickelvisage aus der Tür guckt, sagt man ›Guten Morgen, Frau Kleinert‹.« – »Steht der Zeiger auf ROT, dann muß man wieder volltanken.« – Jeden Tag dieselbe Strecke ins Büro fahren. Da liegt schon seit drei Jahren ein modriger Teppichrest im Garten, vorm Baumarkt stehen Aluleitern und Betonmischer, an der Bushaltestelle: »Katrin, ich libe dich« – nur mit einfach »i«. Zwischen Zubringer und Finkenweg lohnt sich das Hochschalten in den Vierten eigentlich nicht, aber im Dritten ist es immer so laut. Man möchte sich halt beschäftigen und nicht nur bei heulender Maschine warten, bis der verfickte Finkenweg endlich kommt. Noch immer gibt es traumhafte Orte auf dieser Erde, Palmenstrände und endlose Wälder mit wilden Bächen, und wo sind wir jeden Tag? Im Finkenweg. Angesichts der Endlichkeit unseres Lebens gibt es eigentlich keine Rechtfertigung dafür, auch nur eine Sekunde davon in diesem widerwärtigen

Drecks-Finkenweg zu vergeuden. Und doch zieht es uns magisch jeden Tag in diese städtebauliche Beleidigung, weil uns irgend jemand eingeflüstert hat, wir müßten einen Beruf ausüben, um zu leben. Und ein anderer hat uns gesagt, Filialleiter bei Fliesen-Heydrich sei ein ganz feiner Beruf, da könne man's wohl aushalten. Und so treibt es uns jeden Tag in den verschissenen Finkenweg mit seinem modrigen Teppichrest, in die muffige Baracke mit den Scheißhausfliesen auf der Spanplattendeko. Und wenn die Pickelfresse aus der Tür gafft, sagen wir »Guten Morgen, Frau Kleinert«, und auf dem Rückweg tanken wir an Säule vier, starren blödig in die Ferne, heften zu Hause die Kontoauszüge sauber weg, bringen den Müll runter und vergleichen vor dem Zubettgehen in der Zeitung die Preise von Aluleitern. Bonjour Tristesse. Gute Nacht allerseits.

RASENMÄHER ODER NEGER

Was ist eigentlich besser, ein Rasenmäher oder ein Neger, hat mich einmal ein kleiner Junge gefragt. Ja, was ist wirklich besser? Erst ein Kind mußte mich auf diese Frage aufmerksam machen, ich selbst hatte sie mir noch nie gestellt.
Kassowarth von Sondermühlen

TAUB, BLIND, STUMM UND GESCHMACKS-NEUTRAL
Multimedia

Alljährlich sitzen die Schweinepriester der großen Elektronikmultis zusammen und überlegen, welchen überflüssigen Dreck sie den Bekloppten und Bescheuerten diesmal aufs Auge drücken können. Nach DAT und MiniDisc, CD-i und CD ROM hat bloß keiner von uns Armleuchtern mehr Bock auf neue Plastikteile. Was braucht man mehr zum Eierschaukeln als Ferni und Lala. Hihi, sagt da der Mann aus Fernost, jetzt kommt Multimedia, damit kannst du blödes Schwein mit deinem Fernseher telefonieren. Will ich gar nicht, ich hab' alles. Ja, du vielleicht, aber dein PC zum Beispiel, womöglich will der mal mit deinem Toaster sprechen oder deiner Mikrowelle über Internet ein Fischstäbchen reinschieben. – Noch will man uns weismachen, daß *wir* irgendwie in dem Multimedia-Zirkus auch noch mitmischen. Doch längst ist abgemacht, die Geräte wollen ein Leben ohne uns, sie wollen nur noch miteinander sprechen, und wir sollen den ganzen Quatsch bezahlen. Einziger Trost derweil: Natürlich funktioniert das alles nicht für zwei Pfennig. Um dennoch den Multimedia-Hype am Glühen zu halten, diffundiert der Begriff in die Alltäglichkeit. Alle machen Multimedia: Der eine fotografiert eine Telefonzelle, der andere spricht den abgelesenen Bildschirmtext in seinen DAT-Recorder. Durch das Zauberwort wird noch die blödigste Beschäftigung zum souveränen Agieren im Cyberspace. Alles wird mit allem vernetzt – ohne Sinn und Verstand. Warum soll ich mir den Quelle-Katalog im Fernsehen anglotzen, dagegen ist ja noch das »Wort zum Sonntag« ein Straßenfeger. Was bringt mir das RDS-Mäusekino am Radio, auf dem sogenannte Zusatzinformationen unterstellen, bei dem sonstigen Gelulle aus dem Kasten handele es sich überhaupt um Informationen. Welch gräßliche Vorstellung, beim versehentlichen Einschalten der volkstümlichen Hitparade auf dem eigenen PC auch noch die Noten und Texte der Jammergestalten vorzufinden und über Modem womöglich ein Tête-à-tête mit den virilen Blut-und-Boden-

BIER TRINKEN

Manchmal, wenn ich eine Flasche Bier trinke, denke ich an die vielen tausend Menschen in der Dritten Welt, die sich keine Flasche Bier leisten können. Aber wie sollten wir ihnen helfen? Selbst wenn wir ihnen Bier schickten, wie würde die Rückgabe der Pfandflaschen geregelt? Oft müssen wir die Ungerechtigkeit der Welt, ob wir wollen oder nicht, auf unseren Schultern tragen.

Kassowarth von Sondermühlen

Monster simulieren zu können. Die Multimedia-Welt bietet wenig Erheiterndes, sollte sie denn mal funktionieren. Wer will denn schon mit noch mehr Menschen kommunizieren, wenn schon das Gespräch mit dem Eherochen zur Tortur gerät. Wer glaubt denn wirklich, daß der unbeschränkte Zugang zum Versandhauskatalog via Daten-Highway aus dem ganz normalen Arschloch von nebenan einen mündigen Bürger macht? Je mehr Datenschrott den Heinis in die Bude gepumpt wird, desto mehr wird ihnen suggeriert, an den Geschicken dieser Welt beteiligt zu sein. Dabei sind wir alle nur ein riesiger Darmtrakt, der kritiklos verdaut, womit er genudelt wird. Und jede Schnittstelle zu den Infoviren dort draußen ist eine Wunde in unserer schützenden Haut der Ahnungslosigkeit. Multimedia will uns endgültig unsere Doofheit stehlen. Aber doof sein heißt auch, den Überblick behalten. Drum laßt die Geräte untereinander ihren Schwatz halten, meinetwegen bezahlen wir auch den ganzen Käse, aber laßt uns gefälligst in Ruhe, ihr Schweine.

ANNO DOMINI 2005, SONNTAGS 18 UHR 40

Vorschau auf die 1000. Folge Lindenstraße

Sommer 2005. Der Fernsehsender RTL Mega Plus 12 feiert die 1000. Folge der Lindenstraße. Nach der Auflösung der ARD vor 9 Jahren hatte ein Konsortium aus Kirch, Bertelsmann, Preussen Elektra und Sonnen-Bassermann-Suppen den Sender RTL Mega Plus 12 gegründet. Auf diesem Kanal wird die Rumpelkammer des ARD-Nachlasses verwaltet: Verstehen Sie Spaß? mit Arabella Kiesbauer, Die Tagesthemen mit Hape Kerkeling und natürlich die Lindenstraße. Unter der finanziellen Knute des greisen Alkoholikers und Geschäftsführers Rex Gildo ist die Serie zu einer billig abgedrehten Trash-Sitcom geworden.

Was in der 1000. Folge geschieht: Iffi Sperling stirbt bei der Geburt ihres 8. Kindes. Von ihrem zweiten Mann, dem in Afrika verschollenen Kurt, war sie seit drei Jahren geschieden und lebte jetzt mit dem 68jährigen verwahrlosten Penner Egon Kling zusammen. Der Vater des Kindes ist jedoch dessen verstorbener Sohn Olaf, ein bisexueller Blumenhändler, der vor 8 Jahren unter mysteriösen Umständen seinen Lebensgefährten Dieder mit einem Akkordeon erschlug. Höhepunkt der 1000. Folge ist jedoch der Tod von Helga Beimer. Sie wird in der Gaststätte »Bei Momo«, dem vormaligen Akropolis, von ihrem 93 Jahre alten Onkel Franz im Todeskampf mit einer Panzerfaust angeschossen, stürzt aus der Schänke, wird von ihrem sterbenden Sohn Klausi und dessen totem Freund Olli beim Rückwärtseinparken lebensgefährlich am Kopf verletzt, und auf dem Weg zum Operationssaal trifft sie auf den Leichnam Anna Zieglers, der die Schwerverletzte die Treppe runterwirft. Helga Beimer ist damit die 12. Tote, die auf das Konto der mysteriösen Anna geht. In Erinnerung geblieben sind der Tod ihres zweiten Gatten Hansemann und seiner Kollegen Böhdefeld und Hütthusen, die zusammen die Treppe des Sozialamtes hinunterfielen. Der Tod Helga Beimers soll jedoch nicht der einzige bleiben in der 1000. Folge. »Ich

hab' die Schnauze voll«, hatte der 104jährige Geissendörfer in einer Vorab-
information des Senders geschrieben, »jetzt bring' ich die ganzen Sackge-
sichter um.« In der Tat hatte der große alte Mann der Lindenstraße schon
etliche Male ein Blutbad angerichtet, wenn ihm seine Serie zum Halse
raushing. Wir erinnern uns noch alle sehr gut an die legendäre 932. Folge,
an das Massaker der Mexikaner. Manoel Griese war plötzlich zusammen
mit Benito Juárez und einer Handvoll Mescalero-Indianern in die Lindenstraße eingeritten und hatte 25 Leute erschossen, darunter Philipp Sperling, Pannajotis und Elena Sarikakis sowie Hermann den Dritten. Geissendörfer, befragt über dies ungewöhnliche Auftauchen des seit 9 Jahren
verschollenen Manoel, erklärte, daß er keinen anderen Ausweg mehr gewußt habe, um das Verhältnis zwischen der alten Sarikakis und dem motten-
zerfressenen Schäferhund Hermann dem Dritten zu erklären. Ja, und Pannajotis und der Sperling seien zufällig auf dem Set gewesen und leider
jetzt wirklich tot. Die anderen Leichen dieser Folge sind Herr Hülsch, Valerie
Zenker, Tante Rosi und der verlotterte Gastwirt Momo Sperling. Alle vier
werden von dem Zuschauer Ewald Pollatschek aus Ricklingen mit einem Ma-
schinengewehr zerschossen. Herr Pollatschek ist der Gewinner des diesjähri-
gen Preisausschreibens von RTL Mega Plus 12: »Ich erschieße meine Lieblings-
stars.« Ab der 1001. Folge lebt nur noch Egon Kling: Wir dürfen gespannt sein
auf die Verwicklungen, die sich in den nächsten 1000 Folgen noch ergeben.

BRUSTWARZE

Brustwarze! Wieviel Verheißung steckt doch in diesem Wort, und wieviel Schrecken. Kommen Sie gut über den Tag, ich wünsche es Ihnen von ganzem Herzen.

Kassowarth von Sondermühlen

SENDBOTEN DES SATANS KLINGELN AN DER TÜR
Handwerker und Lieferanten

Die größte Lebenslüge der Deutschen ist sicherlich, daß es sich bei ihnen um ein Volk der Dichter und Denker handle. Meines Wissens gibt es keinerlei Anzeichen dafür, daß der Anteil der Bekloppten und Bescheuerten in diesem Land geringer ist als in der Mongolei oder Dänemark – eher im Gegenteil. Die zweitgrößte Lebenslüge aber ist, daß der Deutsche nur so vor Zuverlässigkeit und Pünktlichkeit strotze. Wer immer noch dieser Meinung anhängt, ist noch nie in die Fänge eines deutschen Dienstleistungskraken geraten. Ob es sich um die Anlieferung eines Sofas handelt oder ein tropfender Wasserhahn der Fürsorge eines sogenannten Handwerkers harrt, stets sind die damit betrauten Untoten völlig außerstande, ihr Eintreffen auf drei bis vier Stunden genau vorherzusagen. Während

**Jetzt muß sie nur noch zusammengebaut werden:
die IKEA-Einbauküche**

seit dem Mittelalter – mit der allgemeinen Verbreitung der mechanischen Zeitmessung – der Mensch der Neuzeit daran gewöhnt ist, seinen Alltag minutengenau zu synchronisieren, um nicht ständig den Zug zu verpassen oder nachts vor die geschlossene Tür des Aldi-Marktes zu rennen, schaukelt ein Heer grinsender Blödiane mit speckigen Pritschenbullis durch die Gegend und kommt und geht, wann es ihnen paßt.

»Der Kühlschrank wird um 10 Uhr geliefert, sorgen Sie dann bitte dafür, daß jemand zu Hause ist«, trällert die Frau am Telefon mit einer Kommandostimme, die keinen Widerspruch duldet. Schon schlimm genug, daß man sich für die simple Anlieferung eines Küchenmöbels einen halben Urlaubstag nehmen muß, so wird der Tag doch dadurch erst richtig schön, daß die avisierten Ladenschwengel natürlich nicht um 10, auch nicht um 12 und nicht um 3 erscheinen. Des weiteren ist die Erfindung des Fernsprechers vor ca. 80 Jahren völlig an ihnen vorbeigegangen. Es wäre ja ein leichtes, dem nutzlos wartenden Kunden, der zu Hause seine karge Freizeit verplempert, zumindest fernmündlich die Gründe seines Ausbleibens mitzuteilen. Vielleicht ist ja eine Atombombe auf den Kühlschrankladen gefallen, oder den Auslieferungsfahrer hat ein akuter Ausbruch endemischer Arschfäule dahingerafft. Wer hätte da kein Verständnis. Doch die Wahrheit ist leider viel prosaischer: Die beiden Granaten sitzen am Straßenrand in ihrem Siebeneinhalbtonner, kauen ein Fleischwurstbrötchen und lesen Fickelmagazine. Auf den Gedanken, daß andere Menschen einer geregelten Tätigkeit nachgehen oder zumindest mehr vom Leben erwarten, als der Kühlschrank-Anlieferungen zu harren, kommen sie natürlich nicht. Gegen 17 Uhr endlich treffen die beiden Spitzenkräfte am Haus des Kunden ein und schleppen einen Elektroherd mit Ceranfeld und Umluftbackofen in den fünften Stock.

Nachdem ich die beiden Sportsfreunde mit dem Herd wieder weggeschickt habe, lese ich in der Zeitung, daß die Wahrscheinlichkeit, in unseren Städten tagsüber ermordet zu werden, mittlerweile bei 120 % liegt und daß in den nächsten Jahren der Anteil der Dienstleistungen in der deutschen Wirtschaft drastisch gesteigert werden soll. Schwer zu sagen, welche Meldung mich mehr erschüttert hat.

DIE FEUERROTEN AUGEN DES ZYKLOPEN
Ampeln

Zu Hunderttausenden stehen sie an unseren Straßen herum und zerhacken den fließenden Strom des Lebens in eine dumpfe Abfolge gebremster Intervalle: Lichtsignalanlagen, vulgo: Ampeln. Hier will sich die Hausfrau aus der Meerschweinchensiedlung mit ihrem Drittwagen bequem in den Verkehr einfädeln und unterbricht dafür 5 Minuten lang den internationalen Schwerlastverkehr. Dort meinen die Bewohner eines Anrainer-Seniorenheimes, unbedingt ihren verwalteten Lebensabend damit aufmotzen zu müssen, daß sie dauernd auf die andere Straßenseite humpeln, und erstreiten sich den Bau einer Fußgängerampel. Hunderten von Berufstätigen wird der tägliche Weg zur Arbeit gehörig vermiest, nur weil eine Handvoll Geronten ihre üppige Beamtenpension unbedingt auf der anderen Straßenseite verzehren muß. Wie dämlich unser Alltag längst geworden ist durch die dauernde bevormundende Unterbrechung durch Lichtsignalanlagen, wird recht deutlich, wenn man sich ein jagendes Wolfsrudel vorstellt, das alle 200 m stehenbleibt und in der Nase popelt. Menschen, die vor Ampeln warten, in ihren Autos hocken mit Gesichtern wie kackende Hunde im Stadtpark, prügeln zu Hause ihre Ehegatten und versteigen sich in die abartigsten sexuellen Praktiken. Keine normale Psyche verkraftet es auf Dauer, ständig im Bewegungsdrang unterbrochen zu werden. Mathematisch gesprochen handelt es sich beim ampelgetakteten Verkehr um die erste Ableitung von Einzelhaft – eben noch schlimmer, zeigt sich doch zwischendurch die Illusion von Bewegung. Deshalb dieser ungebärdige Freiheitsdrang an den Ampeln, die Wheelies der Motorradfahrer, die Kickdowns der Audi-80-Piloten. Nur wenige Meter währt das Trugbild der Freiheit, schon flackert die nächste rote Flamme am Straßenrand. Eine besondere Form von Psychoterror ist die sogenannte »grüne Welle« an vielbefahrenen Ausfallstraßen. Bei ca. 120 km/h schalten dort die Ampeln jeweils auf Grün, wenn ein Auto naht. Hin- und hergerissen zwischen den Verlockungen der grünen Welle und der Illegalität der dafür nötigen Geschwindigkeit, fährt man 90, zu langsam, um durchzukommen, gerade schnell genug, um den Schein zu verlieren. Als ob das nicht reichte, um jeden vor Wut ins Lenkrad beißen zu lassen, gibt es neuerdings automatische Ampeln an Ortseingängen, die Dauergrün zeigen, aber sofort auf Rot umspringen, wenn sich ein Fahrzeug nähert. Diese Psychofolter, bei der das Opfer noch selbst den Mechanismus auslöst, wurde nicht etwa im finsteren Reich des Bösen erdacht, sondern ist fortschrittliche Verkehrspolitik der Bundesrepublik. Wen wundert es eigentlich noch, daß auf unseren Autobahnen die Leute rasen wie angreifende Kavallerie, wenn die Bewegung in den Städten, ganz gleich ob als Fußgänger, Auto- oder Radfahrer, längst verkommen ist zu einem blödigen Strammstehen vor roten Glühbirnen. Die absurdeste Idee der Ampelgläubigen bisher war ein Frauenarmband, das grün aufleuchtend dem Beschäler den empfängnisfreien Weg in den Uterus signalisieren sollte. Warum tragen dann nicht gleich alle eine Lichtsignalanlage vor jeder Körperöffnung und zeigen damit dem potentiellen Sexualpartner auf der Straße an, zu welchen Praktiken sie bereit sind. Deutschland, Ampelland. Deutsche Menschen – doofe Menschen.

FALSCHER FÜNFER

Ein altes Mütterlein hat mir gestern einen falschen Fünfmarkschein angedreht. Wie rührend. Ja, in der älteren Generation wohnt noch soviel Bescheidenheit. Jeder von uns hätte zumindest einen Hunderter gefälscht. Mögen die Tugenden der Altvorderen noch lange fortbestehen und ihre Werte in unserer Gesellschaft Bestand haben. Kassowarth von Sondermühlen

HATTE ADAM DEN PERSONALAUSWEIS MIT DER NR. 001?

Terror der Zahlen

Nicht schlimm genug, daß man beim Friseur schon um einen Termin nachsuchen muß, nur weil er seine Schnippelbude jetzt Hairstyling Center nennt. Nein, die Rezeptionsgöre am Telefon blafft einen auch noch an: »Geben Sie mir bitte Ihre Kundennummer!« Hab' ich natürlich nicht, schon gar nicht im Kopf. Der ist voll mit Bankleitzahlen, EC-Card-Geheimnummern und den Ziffern vom Fahrradschloß. – Ein Brief vom Finanzamt: »Zahlen Sie bitte bis morgen grundlos 100 000 Mark. Rechtsmittelbelehrung: Gegen diesen Bescheid kann 20 Minuten lang Einspruch erhoben werden. Geben Sie dabei aber unbedingt unser Zeichen an.« Es folgt ein 78stelliges alphanumerisches Gebilde, das man unmöglich fehlerlos abschreiben kann – und das war's für den Einspruch. Oh, verdammt, ich muß ja noch zur Sparkassenfiliale, das Bußgeld fürs Falschparken einzahlen. »Haben Sie den Originalüberweisungsträger nicht mehr?« Bitte? Der hing zwei Wochen hinterm Scheibenwischer und ist vor lauter Taubenkacke ganz durchgeweicht. »Dann brauchen Sie die Kontonummer der Stadtkasse, Ihre Übertretungsnummer, das Autokennzeichen und natürlich die Bankleitzahl. Und alles bitte in Blockbuchstaben auf den Überweisungsträger schreiben. Hab' ich nich, kann ich nich, will ich nich! Weg ist der Lappen. Terror der Zahlen. Alles fing damit an, als der Gilb die Postleitzahlen nicht nur um eine Stelle erweiterte, sondern auch noch jeder Haustür eine eigene verpaßte. Seitdem kenne ich keine einzige mehr auswendig. Doch kaum hat die Chaostruppe von der Post AG dieses Maximum an Verwirrung gestiftet, bastelt sie schon an neuem Mist: Umstellung der Postleitzahlen auf binären Code. Meine bisherige wird zu 111 101 101 011. Wer's rauskriegt, darf mir schreiben. Zahlenkolonnen rauschen durch den Schädel, und man weiß gar nicht mehr, wo man welche draufschreibt. Was gehört noch mal hinten auf den Euroscheck? Die Schecknummer, die Kartennummer oder die ominöse Bankleitzahl oder gar der PIN – nein, den

WIE SPÄT IST ES

**Wie spät ist es, fragte
mich heute ein Passant
an der Bushaltestelle.
Was sollte ich ihm antworten,
wie konnte ich diesem
Mitmenschen beistehen?
Ich hatte doch keine Uhr.
Wie traurig ist es doch oft,
dem anderen nicht helfen
zu können.**

Kassowarth von Sondermühlen

darf man ja keinem verraten. In grenzenloser Anbetung der Nummernfolgen muß man sogar die Bankleitzahl angeben, wenn man innerhalb der eigenen Bank Geld überweist. Die kalte Erotik der nüchternen Zahl läßt uns nicht mehr los. »Ey, 1498 LZ Strich 7, komm her, du fettes Schwein«, hör' ich schon meinen Nachbarn mit seiner Frau schäkern. – Ich jedenfalls habe erst einmal die Schnauze voll vom Zahlenterror und schigger zum Kiosk, um mir auf den Nerv eine Palette Kümmerling hinter den Riegel zu schieben. Unten bei Mustafa seh' ich schon von weitem ein Pappschild im Fenster hängen:»Bin erreiche jetzt nur noch Internet: *http Doppelpunkt Doppelschrägstrich www Punkt hüdelhüdel Must. Sternchen.*
Ach du Scheiße!

GETUE UND GEMACHE
Funsportarten

Sport ist die konsequenteste Art, dem Menschen die Freude an der Bewegung zu rauben. Auf Zeit geradeaus rennen oder über eine Latte hechten, unter der man viel besser hindurchlaufen könnte – was für ein himmelschreiender Unsinn. Nicht mal das Tier, obwohl viel an der frischen Luft und mangels Gelegenheit Nichtraucher, treibt irgendeinen Sport, sondern liegt naturgemäß, sobald der Hunger nachläßt, lieber bräsig in der Flora rum. Allein der Mensch in seiner Form des notorischen Zappelheinis muß ständig an Bälle treten oder sich Plastikradkappen zuwerfen, statt angenehm betrunken unterm Holunderbusch ein Mittagsschläfchen zu wagen. Nun dachte man als bewegungsscheuer Zeitgenosse, der Schwachsinn der Sportiven sei nicht mehr zu überbieten. Weit gefehlt! In der ständigen Gier nach neuem Zappelfutter entstanden die Funsportarten, albernes Herumgehampel allzumal, doch einig in der Eigenschaft, Unsummen für Zubehör zu verschlingen. Ungekrönte Königin des Beklopptengezappels ist der Beachvolleyball. Als ob Volleyball allein nicht schon peinlich genug wäre, schütten die Doofen drei Sattelzüge Sand in die Fußgängerzone und »beachen«, wie es in ihrer merkwürdigen Sprache heißt. Andere, nicht weniger bescheuert, prellen eine Pille zwischen Lautsprechertürmen herum und spielen »Streetball«. Fast vergessen ist schon Squash, der Funsport für masochistische Klaustrophoben. Allen drei gemeinsam ist die Entstehung aus der Unzulänglichkeit: Weil der Scheißstrand in Kalifornien nicht anständig geteert ist wie etwa in Norddeich Mole, mußten die College-Heinis leider im schwergängigen Sand herumhopsen. Weil der arbeitsscheue schwarze Faulpelz in der Bronx zu blöd ist, um sich eine anständige Kampfbahn Rote Erde zusammenzusparen wie sein Kollege im Ruhrpott, prügelt er die Pille durch die Häuserschluchten. Weil der Massenmörder nie wieder aus seiner Todeszelle rauskommt, schmeißt er gelangweilt Klementinen an die Wand. So weit, so verständ-

Umstritten: Waldsurfing

lich. Doch warum sich reichlich versorgte Teenager westlicher Industriege-
sellschaften freiwillig diesen Beschränkungen unterwerfen, bleibt ein Rät-
sel. Warum sie nicht mit Papa wandern gehen oder sich im örtlichen Feld-
hockeyverein als Kassenwart ihre ersten Sporen verdienen – man begreift
es nicht. Statt dessen verplempern sie die Penunzen des Sorgerechtinha-
bers bei debilen Funsportarten. Was werden die nächsten sein? Beach-In-
line-Skating? Schmutzwater-Rafting? Stahlseil-Jumping oder In-die-Fresse-
Smashing. Egal! Ich bin auf jeden Fall nicht dabei.

IM-WEGE-STEHEN ALS LEBENSZWECK
Der Vorläufer

Die Volkssage verteufelt den Nachfolger zum Usurpator, zum Thronräuber, den Vorläufer hingegen verklärt sie zum Propheten. Wer jemals als Nachfolger eine Rolltreppe im Kaufhaus hinuntergefahren ist, kann das nicht verstehen. Gibt es doch regelmäßig Pappköppe, die vor einem stehen und zwei Angström hinter dem Ende der Treppe mitsamt breitarschiger Begleitung wie angewachsen verharren. Während die in Konsumstarre Verfallenen das Stockwerk mit den Augen nach der Doppelripp-Abteilung absuchen, tagträumen die Nachfolger auf der Fahrtreppe von Flammenwerfern, Panzerfäusten und Schneefräsen, mit denen man die Bekloppten und Bescheuerten beiseite räumen kann. Der Vorläufer ist der Inbegriff des Charakterschweins, verantwortlich für $9/10$ allen Unheils auf dieser Welt. Warum dürfen Autos nicht mit einem Meter Abstand und 180 km/h auf der Autobahn fahren? Weil beim vorausfahrenden Psychopathen ständig mit irrationalen Bremsmanövern gerechnet werden muß: Mal kreuzt eine Kaulquappe den Schnellweg, mal fällt ihm beim Pommesfressen am Volant der Curryglibber auf die Trevirahose. Vorläufer sind überall: Sie parken aus dem Stand ihren massigen Körper im Hauptstrom der Fußgängerzone, wackeln im Schneckentempo – immer fünf nebeneinander – über Radwege, stehen in der Drehtür der Unfallnotaufnahme und unterhalten sich mit einem anderen geparkten Zellhaufen über Sonderangebote im Pimpel-Markt. Beliebte Weidegründe des Vorläufers sind die Ufer der Autobahnen. Weil ihm die Einfädelung in eine bestehende Bewegung charakterlich nicht möglich ist, rast er den geteerten Halbkreis runter und legt auf der Beschleunigungsspur eine Vollbremsung hin, dann glotzt er 10 Minuten dämlich auf den vorbeibrausenden Verkehr, um schließlich seine Gurke kurz vor einem mit 120 km/h nahenden holländischen Sattelschlepper im ersten Gang auf den Hauptfahrstreifen zu kullern. Auf die anschließende Notbremsung von 30 Tonnen Volvomasse folgt der obligate Auffahrunfall eines guten Dutzends unschuldiger Nachfolger. Um Leben zu retten, sei unseren Kapitänen der Landstraße dringend angeraten, die Zauderheinis an den Auffahrten grundsätzlich plattzuwalzen. Der deutsche Mensch an sich ist von seinem Volkscharakter her ein Vorläufer. Er steht gern im Wege rum und verteidigt Standpunkte, der Kessel und der Grabenkrieg, die Sandburg und der Parkplatz sind sein Zuhause. Bewegungen, die nicht andauernd von abrupten Bremsmanövern unterbrochen werden, sind ihm fremd. In der Ampel findet er den alltäglichen Trost für die unaufhaltsam davoneilende Zeit. Wer je einen Franzosen und Engländer in einen Kreisverkehr rasen sah und dagegen den Deutschen, wie er grundsätzlich auch vor einem leeren Kreisel bremst, um sich erst mal wieder neu zu orientieren, ahnt, daß mit diesen Trantüten nicht viel Staat zu machen ist. Der Vorläufer lebt schmarotzend von der Nachsicht des Nachfolgers. Er weiß, daß auf seine spastische Bremsbereitschaft nicht der verdiente Tritt in den Arsch folgen wird, sondern schlimmstenfalls ein unterdrückter Fluch. So bremst sich der Parasit durch unseren Alltag und zerstört die Anmut der Bewegung und letztendlich das Prinzip des Lebens: Alles fließt. Schon lange nicht mehr. Allen vorauslaufenden Zögerlingen wünsche ich ein halbstündiges Praktikum in einer Bisonherde auf der Flucht.

DER ANHÄNGER

Haben Sie in dieser besinnlichen Zeit einmal darüber nachgedacht, wer einem wirklich die Treue hält? Ist es die Ehefrau, ist es der Hund? Nein, es ist der Anhänger, dieses Geschöpf Gottes, dessen einziger Lebenszweck die Gefolgschaft ist. Etwas Treueres als den Anhänger finden wir auf Erden nimmerdar.
Kassowarth von Sondermühlen

VORSCHLAG FÜR EINE BESSERE WELT
Lob der Feldjäger

Zu unrecht gescholten wird viel zu oft das Militär, hat es doch Einrichtungen geschaffen, die von einer profunden Kenntnis der menschlichen Schwäche zeugen. Prämisse allen militärischen Denkens ist, daß der Mensch – zumal der männliche – von Natur aus ein widerliches Dreckschwein sei. Wer möchte dem widersprechen? Die Antwort des Militärs auf diese Naturgegebenheit ist allerdings nicht die Förderung der Herzensbildung beim Probanden sondern die Feldjägerei, eine Truppe primitiver Schläger, die den Lümmeln eins auf die Omme haut, wenn sie über die Stränge schlagen. Nun – der Humanist mag diese Form der Pädagogik verurteilen,

KÄFER ZERTRETEN
Wie leicht zertreten wir zuweilen einen Käfer mit unseren Schuhen, ohne einen Gedanken an den Tod zu verschwenden. Sollten wir nicht auch mal wieder ein Insekt mit den Fingern zerdrücken, um wieder ein Gefühl für den Tod zu bekommen?
Kassowarth von Sondermühlen

der Tourist hingegen, der schon mal seinen Urlaub in der Fremde inmitten einer Kolonie Landsleute verbracht hat, sehnt sich geradezu nach einem deutschen Feldjägerposten an fremden Gestaden. Wenn in spanischen Gaststätten namens »Hofbräuhaus« oder »Düsseldorfer Altstadt« zu Weizenbier und deutschem Gruß der Teutone schwelgt, heissa, wie nett wäre es doch, wenn zu vorgerückter Stunde eine Wagenladung Feldjäger die

Bude stürmte und die johlenden Schnitzelboliden so vermöbelte, wie sie es in ihren Reden einige Minuten vorher noch dem Kurden an den Hals wünschten. Um die polternde Plattfüßigkeit der temporären Auslands-deutschen ein wenig zu deckeln, wünschte ich mir regelmäßige Razzien in den Hochburgen des TUI-Imperialismus. Wenn sie wieder mit den Charter-jets der Legion Condor nach Spanien fliegen, um – dem Reihenhaus entflo-hen – die Sau rauszulassen, dann wartet der Feldjäger schon am Zielflugha-fen, sammelt die Pässe ein und geleitet die Erholungspflichtigen in ihre Kasernen. Dort werden an der Rezeption die Khaki-Uniformen für zwei Wochen ausgegeben und die mitgebrachten grün-lila Schinkenbeutel in den Safe verschlossen. Sodann ist Essenfassen am Buffet und danach eine Stunde Revierdienst, um ein Gefühl für die Arbeitsbedingungen der Ein-heimischen zu bekommen. Jeden zweiten Tag: Ausgang bis zum Wecken mit Gelegenheit zur Hormonentladung bei anderen Manöverteilnehmern. Wer pöbelt, bekommt vier Tage Bau. Jede Reisegruppe wählt aus ihren Reihen einen Stubensheriff, der beim morgendlichen Frühstück die Soll- und Ist-Stärke der Urlauberrotte dem Reiseleiter meldet. Die gesamte deutsche Garnison wird vom Standortkommandanten in Marine, Infanterie und Ab-schirmdienst unterteilt. Die Marinetouristen werden in Surfen und Kampf-baden unterrichtet, die Infanterie stählt sich derweil in Strandgepäck-märschen, während der Abschirmdienst am Pool rumlümmelt. Daraus entstehende Aggressionen sind erwünscht und verhindern falsche Para-diesprojektionen auf den Urlaubsort. So wird langfristig eine Devisenflucht sonnenhungriger Rentner nach Südeuropa verhindert. Die neue gesellschaft-liche Aufgabe, die der Bundeswehr aus der Abwicklung der Urlaubsan-sprüche erwächst, schließt die Selbstverständnislücke der Streitmächte nach dem Ende des Kalten Krieges. Deutsche im Ausland sind nicht länger schlecht gekleidete Vandalen, sondern wohlgeordnete Besatzungsmächte. Die be-sten Voraussetzungen für den Urlaub der Zukunft bieten Inseln wie Alca-traz oder Robben Island, allerdings sind auch die abgeschotteten Gefange-nenlager in der Dominikanischen Republik schon sehr weit. Und das schönste und zugleich erschreckendste Ergebnis des militärgestützten Tourismus: keine Beschwerden, kein Nörgeln, 100 % Zufriedenheit. Kraft durch Freude.

FAHNDUNGSFOTOS DER FUN-GENERATION
Grinseköppe

Grinseköppe starren uns an. Auf den briefmarkengroßen Blitzlichtfotos der Stadtmagazine begegnet uns die virtuelle Welt der guten Laune: Pipi und Bobo letzte Woche im Kaka, DJ Asshole beim ultimativen Rave-Event in Pepes Cholera-Stübchen. Gibt es diese Menschen wirklich? Kriechen Sie beim ersten Sonnenstrahl zurück in ihren Sarg? Oder bügelt ihnen Mama morgens die verschwitzten Unterhosen wieder auf? Wenn die Morlocks der City am Abend an der Sirene ziehen, verwandeln sie sich in eine kollektive C&A-Werbung und strömen den sinistren Spelunken entgegen: Fresse zeigen in der Osho, ein Toter Leguan auf Eis im Zaza, Fisch sucht Fahrrad, Fickalarm im Teckelzwinger – ja, wir machen durch bis morgen früh und singen bumsfallera. Irgendwo werden sie schon sein, die bleichen Grottenolme der Szenepresse, die einen in die Hall of Fame der Klatschspalten hochknipsen. Oje, feiert nicht Schnullerbacke vom Teenager Voodoo Club seinen 50sten heute, ist nicht im Exitus die irre geheime Insider-Schaum-Party? Und was ist eigentlich mit dem Rave im katholi-

Totenmaske eines Grinsekopps

schen Gemeindehaus? In ständiger Angst, nicht dabeigewesen zu sein, hetzen die Nachtasseln durch die City, um die angesagten Events nicht zu verpassen. Welch geheime Bruderschaft es denn ist, die einen Ort »ansagt«, das bleibt im verborgenen. Zu vermuten ist, daß eine Runde abgewichster Altgastronomen sich darüber verständigt, in welcher Glitzerbude den Bekloppten jeweils die Geldkatze gemolken wird. Dem graumelierten SLK-Fahrer nebst halb so altem Matratzenschoner wird die gediegene Räumlichkeit von Harry J. Fistfucks New York Bar angedient, der Büroschnulli mit seiner Tusse im billigen TexMex-Schuppen abgekocht und Mister 180 Beats samt Bulimie-Gespenst blutet in der Technohölle. Alle nähren sich an dem Versprechen, zur raren Gruppe der Trendsetter zu gehören, deren Fratzen die Partyseiten der Prospektmagazine füllen. Die Steigerung des Dabeigewesenseins ist nur noch die eigene Inszenierung. Auch wenn es schon megatoll ist, auf der Geburtstagsparty von Bata Ilic seine Visage in die Pressekamera zu halten, so liegt noch mehr Ruhm darin, wenn die jaulende Balkan-Hackfresse auf der eigenen Fete vom Fotografen erwischt wird. So bescheiden der lokale Szeneruhm auch ist, so unerbittlich sind seine Gesetze. Wer kommt rein ins Brevier der happy people? Da ist erst mal das frische Weiberfleisch unter der Überschrift »Gesehen an der Seite von«, es folgt der Name eines sattsam bekannten Edelalkoholikers. Wer den Pulli hoch- oder den Schlüpfer runterreißt, darf auch alleine kommen. Gerne auch belichtet wird der örtliche Promi, der in der großen weiten Welt reüssierte, vorzugsweise in der Gestalt des ewig jungen Rockgitarristen. Das Brot des Klatschfotografen aber sind die Nacht- und Szeneeulen, von deren Faces kein Mensch 2 km hinter der Stadtgrenze je gehört hat: »Sybille Prömmel vom Nagelstudio Kaiser wurde auch gesehen«, heißt es dann sybillinisch, oder »Zeigte sich guter Laune: Paki Amsaki aus dem BongoBongo«. Die Fremdheit dieser Welt wird einem erst in ihrer Gänze offenbar, wenn man die Szeneseiten einer anderen, nicht der eigenen Stadt betrachtet. Zwischen Bielefeld und Berlin ist da kein Unterschied, denn was die Todesanzeigen dem Tageszeitungsleser sind, ist dem jungen Printmedium-User die erstarrte Fröhlichkeit in den toten Fressen der Grinseköppe. Schade: wieder keiner dabei, den man kennt.

KAPITALVERBRECHER, DIE FREI HERUMLAUFEN
Die Zeiträuber

Schon klar. Jeder würde lieber auf Otaheiti im Baströckchen ein Pils zischen, als sich der gnadenlosen Moderne stellen. Denn hier bei uns im Land der Bekloppten und Bescheuerten lauern an jeder Ecke die Zeiträuber und stehlen unser Leben. Auto anmelden: einen halben Tag Arsch breitsitzen im Reptilienhaus der Kreisverwaltung. Telefonanschluß: »Unser Service kommt zwischen Montag und Freitag. Sorgen Sie bitte dafür, daß jemand da ist.« Fernseher anschalten: Shift Menu 1 program select GoTo Tuning Setup 5. Was denken sich die Schweinepriester eigentlich, warum wir im 19. Jahrhundert den 14-Stunden-Tag am Fließband abgeschafft haben? Damit wir jetzt nach der Maloche sechs Stunden lang den Eierkocher programmieren: Shift Menu Ei select weich. Was glaubt die Schmarotzerbrut in den städtischen Anstalten eigentlich: daß wir uns dauernd Urlaub nehmen, um uns neue Zettel abstempeln oder ablochen zu lassen. Vielleicht bequemen sich die sauberen Brüder mal, bei uns zu Hause vorbeizuschauen, wenn *wir* Zeit haben, um uns den Paß oder den Führerschein vorbeizubringen. Da lob' ich mir den Service der Polizei, die verhaftet einen jedenfalls noch ab Haustür. Alle andern wollen unser Leben klauen, nicht auf einmal, sondern Stück für Stück. Doch warum ist der Mann mit dem Messer, der die 90jährige Oma durchschneidet, ein Mörder, der Staat jedoch nicht? Der Messermann raubte der Oma höchstens 10 % ihres Lebens, der Staat ist durch unsinnige Ampelstopps, blödige Formulare und behämmerte Behördengänge – vom Wehr- und Ersatzdienst ganz zu schweigen – mit einem weitaus höheren Prozentsatz am Lebensraub beteiligt, geht aber ungeschoren davon. *Carpe diem*, reimte einst der Römer und meinte damit sicher nicht den Besuch beim Einwohnermeldeamt. Geradezu aberwitzig erscheint es, daß die Zeiträuber in den Pantoffelhäusern auch noch Gebühren nehmen dafür, daß wir unser Leben in ihren miefigen Linolfluren verschwenden, um ihre Angelegenheiten zu regeln. Mir geht der Personalausweis doch völlig am Arsch vorbei – der Staat will, daß ich seinen Zettel mit mir rumtrage. Warum kommt er dann nicht einfach auf'n Bier abends vorbei und fragt, ob ich Bock darauf habe. Nein, statt dessen zwingt er mich, während meiner normalen Arbeitszeit mit Menschen in widerlichen Pullovern zu sprechen. Ich glaube, es hackt. Wann verbietet das Kartellamt endlich den Staat und die Kommunalverwaltungen. Durch ihre Monopolstellung legen sie ein arrogantes Verhalten an den Tag, das vielleicht unter Karl dem Großen noch ganz witzig war. Heutzutage aber »bestellt« man einen Bürger nicht mehr an den Hof, zumal staatliche Höfe unserer Zeit die Prachtentfaltung einer Umkleidekabine für Pulloverfetischisten verströmen. Es ist weder zumutbar, seine Freizeit in den Miefbuden der städtischen Schleichkatzen zu vergeuden, noch möchte man jeden abend über Steuererklärungen und Mülltrennungsbeipackzetteln brüten. Das Leben ist kein Aktenordner, meins jedenfalls nicht. Lieber kack' ich noch voll Wonne auf meinen Teppich, als daß ich Kringel in Kästchen male für die Leute von der Zeitmafia. Außerdem kommt gleich »Meuterei auf der Bounty« im Fernsehen. Der Aufstand gegen die Schinderei der Zivilisation, da, wo alle die Schnauze voll haben, den Alten absägen und auf Otaheiti in Baströcken rumspringen und abends 'n Pils zischen. Shift Menu 1 Program Setup – Scheiße – Shift GoTo PictureDesc 5 Level 1 Play – verdammt noch mal – Shift 1 Menu Frequency Tuning 3 – No contact. Dreck!

ZWEI BEINE

Jeder von uns hat zwei Beine. Warum nur? Warum ist es gerade die ZWEI, die aus Myriaden von Zahlen ausgewählt wurde, die Anzahl unserer Beine zu bestimmen. Warum nicht die FÜNF oder die 10 474? Sind sie denn soviel schlechter?
Kassowarth von Sondermühlen

WEISSE MINNA DER URLAUBSKNÄSTE
Wohnmobile

Wenn Ferien sind in diesem Land, wackeln sie mit einer unförmigen weißen Kiste mit 60 km/h auf den Straßen herum und zwingen mich zu halsbrecherischen Überholmanövern. Dämlich glotzen sie aus dem Hymen-Mobil, immer auf der Suche nach einem Stück unberührten Straßenbegleitgrüns, wo sie ihre Chemotoilette auskippen können. Urlaub ist für solche Menschen undenkbar, wenn sie nicht ihren kompletten muffigen Haushalt auf vier Rädern mit sich herumschleppen können. Als ob ihre Wohnung nicht schon widerwärtig genug eingerichtet wäre, schleifen sie die abstoßende Ästhetik ihrer Lebensbewältigung sogar bis ins Ausland, um die letzten Sympathiereste für die Deutschen in allen Winkeln der befahrbaren Erde mit Stumpf und Stiel auszurotten. Noch das winzigste Pyrenäenkaff, die kleinsten Lofoteninseln, die von der deutschen Wehrmacht verschont geblieben sind, werden von der weißen Freizeittruppe niedergewalzt. Keine Bruchsteinmauer in Südfrankreich, keine Hecke in Irland, hinter die nicht ein Freizeitlandser gekackt hat. Die General-Wohnmobilmachung erfaßt alljährlich Hunderttausende der Bekloppten und Bescheuerten und stürzt sie in einen Taumel vorzivilisatorischen Benehmens. Da sie die eigene plüschige Privatheit am Haken hinter sich herziehen, bewegen sie sich in ihrem Selbstverständnis unter Ausschluß der Öffentlichkeit. Frech parken sie ihren »Sven Hedin« oder »Eriba« vor dem Straßburger Münster, verlassen des Morgens im grünlila Plastikstrampelanzug mit einer Klorolle unterm Arm den muffigen Wagen und kacken hinter die Kathedrale. Haben wir eigentlich 2000 Jahre christliches Abendland mit Ach und Krach durchgezogen, damit am Ende des Jahrtausends in Plastik eingeschweißte Freizeitzombies hinter unsere Kulturdenkmäler kacken? Nach dem frugalen Frühstück aufgewärmter Raviolidosen zuckelt die weiße Freizeitflotte wieder über die Straßen, um möglichst viele einheimische Autofahrer durch dämliches Gegenanglotzen zur Weißglut zu bringen. Gern

Endlich! Das fahrende Scheißhaus ist da.

wird auch mitten auf einer Kreuzung geparkt, um durch dilettantisches Kartenstudium die nächste Sehenswürdigkeit ins Stuhlgang-Kataster ein-zutragen. Und wenn man schon mal hält, »könnten vielleicht die Kinder schon mal in den Graben kacken, oder was meinst du, Pappa?«. Manchmal stehen sie auch am Straßenrand und zurren die Ladung fest: vier Moun-tainbikes, drei Surfbretter, zwei Kajaks, eine Enduro und riesige Plastikbal-lons, in denen sie Alkohol nach Skandinavien schmuggeln oder billigen Fusel aus Frankreich importieren. »Mamma, wie isses, wenn wir schon mal halten, könntest du im Grunde auch mal eben hinter die Leitplanke kacken.« Irgendwann im August oder September kehren sie zurück von ihren Expeditionen ins Tierreich und werden wieder zu ganz normalen Menschen, die morgens ins Büro oder in die Fabrik gehen. Die Flotte des Grauens steht dann im Wartestand auf der grünen Wiese, hektarweise ver-öden sogenannte Caravancenter und Wohnmobilhändler die Ortsausgänge unserer Städte. Und am Sonntag vormittag schleichen sie schon wieder zwischen den geparkten Kisten herum und überlegen und rechnen, mit welchem Monster sie in der nächsten Saison anderen Menschen den Ur-laub versauen. »Ja, und da wir gerade hier sind, Mamma, was meinst du, wollen wir schon mal jetzt direkt hier hinter den Wohnwagen kacken?«

MENSCHENRECHT AUF SHRIMPS
Planet Erde – Ausverkauf

Das runde Teil, auf dem wir hausen, geht den Bach hinunter. Keine Frauenzeitschrift, kein Fernsehmagazin, in dem das unausweichliche Ende des Planeten nicht längst ausgemachte Sache ist. Und wie immer, wenn etwas Großes zu Ende geht, werden die letzten Reste verschleudert: Onkel Erich frißt den Hummer aus dem Pimpl-Markt, Tante Hildegard hat im letzten Urlaub mit ihrem fetten Arsch 2 qkm Korallenriff für immer ausgelöscht. Kein Atoll, kein Urwaldnest mehr auf Erden, das nicht an die Bekloppten verramscht würde. Und gäbe es keine ortsansässigen Terroristen und geldgierigen Billigflieger, die gemeine Sandale hätte schon jede Krume der Erde plattgetrampelt. Und alles, was er sich in der Ferne durch den Arsch sacken ließ, das soll's für Onkel Heinzi fortan auch im Superladen geben: Jakobsmuscheln, Mangofrüchte, Straußeneier, Lamaklöten und tonnenweise Shrimps. Das schaufelt sich das dumme Schwein abends vor der Glotze rein. Und wenn die Lende wieder juckt, geht's last minute um den halben Globus zum Billigstich in braunes Fleisch. Ausverkauf der Erde – Kinderficken, Quark: alles für 'ne Mark.

Während sich der Europäer auf die Breitbandvernichtung ganzer Landstriche durch Freizeitblödsinn und Schnittblumenimport spezialisiert hat, greift der Chinese mit chirurgischer Präzision ins Resteregal der Fauna. Um seinen welken Piephahn wieder aufzupäppeln, bröselt er sich Panzernashorn und Sibirischen Tiger in den Reis: Hauptsache auch der 1,5milliardenste Knallkopp hat noch 'ne Morgenlatte. Und bei uns? Alles ist für alle da! Elitäres Arschloch der, der behauptet, nicht jeder Blödian müßte sich die letzten Blauwale angucken. Nix da. Auch Oma und Opa wollen mal raus. Zack, den Joggingschlüpfer übergestreift und heidewitzka in das Flugzeug rein. Onkel Heinzi fliegt auch noch mit und sagt ganz stolz: In jeden Ozean hat er schon reingepißt, nur die Südsee, die fehlt ihm noch. Die Tropen überhaupt, och wie schön: aus Mahagoni hat Tante Hildegard 'ne Blu-

menbank. Doch auch da ist sie dem gelben Manne weit unterlegen. Der
Japaner, dieser Fuchs, wischt sich mit dem Urwald aus Neuguinea das Arschloch ab. Planet Erde – Ausverkauf! Was gibt's noch zu verramschen? Nur
die Massengüter sind in Kürze noch im Angebot: Luft und Wasser – weg
damit. Die Atemluft fressen der Mitsubishi und der Düsenjet, und in das
Wasser pinkeln Onkel Heinzi und das Atomkraftwerk.

Auf den Schreck jetzt aber einen Shrimp. Guten Appetit.

DU SOLLST NICHT TÖTEN

**»Du sollst nicht töten«, sagt
das Gebot. Schwingt da nicht
ein »eigentlich« oder ein »an sich«
in dem Satze mit. Hätte es nicht
besser geheißen: »Du darfst
auf keinen Fall töten«? Hat
diese unsaubere Formulierung
vor Tausenden von Jahren
all die vielen Millionen Ermordeter
seither auf dem Gewissen?
Wieviel Mißverständnisse kann
doch eine kleine Schlamperei
verursachen.**
Kassowarth von Sondermühlen

DIE INVASION DER ZITTERROCHEN
Rentner

Sie haben ihr Leben lang gearbeitet, und jetzt wollen sie ihre alten Tage genießen. Aha! Nichts dagegen zu sagen, aber haben sie denn auch genug Pinkepinke, ihr Dasein ungebremst weit über die 65er Demarkationslinie zu verlängern? Da sieht's dann böse aus. Ein Großteil der Mümmelpriester, die sogenannten Pensionäre z. B., haben nämlich keine müde Mark ins Rentensäckerl eingezahlt und schmarotzen nun am Erwerbstätigen herum. Zudem verabschiedet sich die Beamtenkaste schon gerne mal Mitte 50 aus dem auch dort komischerweise so genannten Berufsleben und hampelt mopsfidel in der Freizeitgesellschaft herum. In Pharmagewittern gestählt, zieht es die Rostköddel zum Whitewaterrafting, zum Para-

Frieda & Anneliese rüsten zur Senioren-Trophy!

gliding und Freeclimbing. Nichts, aber auch gar nichts mehr ist der Jugend allein vorbehalten. Wahrscheinlich knutschen die Modersäcke auch schon im Mondschein auf den Parkbänken herum. Selbst die akademische Fron der Universität wird verwässert durch die Gerontenplage. Schon seit Jahren vereiteln die Mümmelfritzen durch das Seniorenstudium einen Schulterschluß der Generation. Kein Sozialpädagogik-Seminar, keine Statistik-Vorlesung, in der man sich noch in Ruhe über das Ficken unterhalten könnte, ohne daß eine Lebensendfigur interessiert die welken Löffel sperrte. Doch es gibt ja nicht nur den satt alimentierten Pensionär, sondern auch noch den weniger prächtig versorgten Kleinrentner. Doch wer glaubt, die Größe der Börse verhalte sich umgekehrt proportional zur Verträglichkeit des Charakters, der irrt. Gerade Freund Schmalhans ist ein Miesepriem sondergleichen. Seine Lieblingsbeschäftigung ist es, die Einkaufsgänge just dann zu unternehmen, wenn auch dem gemeinen Werktätigen die einzige Viertelstunde vor Ladenschluß zum Nahrungserwerb bleibt. Bräsig wackelt er dann mit seiner Gehhilfe durch den Pupsimarkt und fingert Mümmelfutter aus dem Regal, nervt die Models hinter den Wursttheken durch insistierende Fragereien nach oberschlesischem Pansakucha und zahlt an der Kasse selbst dreistellige DM-Beträge mit grünspanigen Reichspfennigen. Kann Freund Mumie seinen Kram nicht shoppen, wenn der Beitragszahler für ihn die Rente zusammenmalocht? Muß es immer gegen Feierabend sein? Aber nein, tagsüber hat er ja keine Zeit, da wackelt er mit dem Auto durch die Gegend und braucht die *eine* Zehntelsekunde zu lange an jeder Ampel, die den nachfolgenden Verkehr zum Wahnsinn treibt. Die Geronte als solche nervt. Täglich findet sich der Teilnehmer der einzig werteschaffenden, mittleren Generation im Zweifrontenkrieg zwischen den gierigen Gören und den durchgeknallten Tatterfredis. Beiden stünde etwas mehr Bescheidenheit ganz gut an, sonst können sie ihr Chappi bald selbst zusammenbetteln. – Im Grunde war's der Sündenfall der Erkenntnis, der uns zum Büttel der Wackelknochen werden ließ. Irgendwann entdeckte der Mensch, daß nicht nur seine Eltern alt und klapprig wurden, sondern ihm das gleiche Schicksal ins Haus stünde. Und fortan wurde der Opa nicht mehr zu den Wölfen in den Wald gejagt. Schade eigentlich.

HILFE, DIE DOOFEN SIND WIEDER DA
Heimkehrer

Jetzt kehren sie wieder heim, die Bekloppten und Bescheuerten, aus den Touristenlagern im Ausland, vorbei ist's mit der sommerlichen Ruhe, mit dem Sitz im Kino, dem Parkplatz vor der Kneipe. Hilfe, die Doofen sind wieder da! Nicht nur, daß die Bekloppten-Dichte pro Flächeneinheit wieder bedrohliche Ausmaße annimmt, nein, die Hirnis haben auch noch sogenannte »Eindrücke« mitgebracht von ihren zwanghaften Auslandsaufenthalten. Schweigen wir von der Tortur selbstgemachter Videofilmchen und der Rezeptionshölle des Knipsbildchens am Strand, konzentrieren wir uns ganz auf die nicht minder grausige Folter des mündlich vorgetragenen Berichts. Natürlich haben die Blödiane nichts in der Fremde erlebt, was man nicht auch aus der Lektüre des Prospektes erfahren könnte. Das wäre ja noch verzeihlich, denn niemand erlebt ja noch irgend etwas. Aber sobald dieses Nichts in fernen Ländern sich vollzieht, lockert es die Zunge des Zombies. Wie aus einer grammatikalischen Versehrtenanstalt entflohen, blubbert geschredderter Satzschrott aus dem Mund des Heimkehrers.

»Die Farbe da unte sind viel bunte als wo wie bei uns.«

Nicht, daß wir eine Spektralanalyse tropischer Lichtverhältnisse erwartet hätten, aber wenn schon dämliches Gesülze, dann bitte schön doch in grammatikalisch ansprechender Verpackung.

»Und die Neger, die liege die ganze Tag lang unter die Bäum. Wo nehme die bloß dann widder die Elan her für dasse sich dauernd totschieße tun mit unsere Entwicklungshilfegeld?«

Sicherlich! Tourismus fördert die Völkerverständigung, Widersprüche werden in der direkten Begegnung des Fremden erst hautnah erfahrbar, und dann wollen sie einfach raus, diese vielen neuen Erkenntnisse, und wer ist das Opfer? Wir, die wir aus Leichtsinn die natürlich nicht ernst gemeinte Frage gestellt haben: Na, wie war's im Urlaub? Und schon ergießt sich über uns ein Schwall bis zum Erbrechen langweiliger Beschreibungen des Mittagsbuffets, untermischt mit ewig wahren Axiomen der Völkerpsychologie:

»Der Neger, jedenfalls die Sorte von da unten, die können ja sagenhaft trommeln, von den einen ham wir sogar 'ne Cassette dann am letzten Tag abgekauft.«

Ja, da zeigt es sich doch wieder: wenn er sich nur anstrengt, der Herr Neger, dann mischt er ruckzuck im Welthandel mit.

»Die Schildkröten, die sind da unten ja an sich geschützt, hat sich Mama von den einen 'nen Aschenbecher für Onkel Franz seinen 60sten machen lassen.«

Und so weiter und so fort. Ängstlich weichen wir im Büro und in der Stadt jeder gebräunten Visage aus, um nicht mit Souvenir-Erkenntnissen dieser Güteklasse zugeschissen zu werden. »Ich hab' übrigens Hodenkrebs«, beginnen wir sicherheitshalber jede Unterhaltung, damit sich unser Gegenüber womöglich scheut, von seinen netten Urlaubsfreuden zu schwadronieren. Es ist entsetzlich. Können die Bekloppten nicht einfach nach Hause kommen, sich überm Diktiergerät erleichtern, die zugegöbelte Kassette neben den vergeigten Videodreck stellen und sich wieder schweigend in die Kassenschlange des Regalmarktes einreihen. Ich hoffe es für sie, sonst drehe ich im nächsten Jahr einem Heimkehrer den Hals um.

UNTERHOSEN

»Sag mir, welch Unterhos du trägst, und ich sag' dir, wes' Geistes Kind du bist«, behauptet ein deutsches Sprichwort. Ach, wie trügerisch ist doch der Volksglauben. So trug zum Beispiel Adolf Hitler blütenweiße Unterhosen. Darüber sollten wir alle einmal nachdenken.
Kassowarth von Sondermühlen

MELDUNGMACHEN AM FERNSPRECHENDGERÄT
Telefon

Den Schutz der Privatsphäre garantiert schon das Grundgesetz. In der Regel klingeln also seit 1949 keine Männer mit langen Mänteln mehr morgens um 5.45 Uhr an der Haustür. Unverständlicherweise ist in unserem Staate das *Abhören* privater Telefonanschlüsse unter Strafe gestellt, das *Anrufen* allerdings nicht. Im Gegenteil. Private Telefonnummern unterliegen sogar noch der Veröffentlichungspflicht, so daß alle Wahnsinnigen dieser Welt zu jeder Tages- und Nachtzeit in meiner Wohnung rumquasseln können. Die morgendliche Stuhlformung genau wie der abendliche Gattenritt gelten in unserer Gesellschaft der totalen Rufbereitschaft als fernmündlich unterbrechbar. Und wehe dem, der sein Fernsprechendgerät aus der Buchse zieht, um wenigstens ein paar Stunden des Tages die Geschwätzigkeit der Welt von sich fernzuhalten. Er ist ein Querulant, ein Verdächtiger, entzieht er sich doch der allgegenwärtigen Sozialkontrolle durch den quasselnden Mitmenschen. »Immer erreichbar sein«, eine Horrorvorstellung George Orwells ist zu etwas Erstrebenswertem geworden, für das auch noch viel Geld gezahlt wird. Die Trendsetter – was man getrost mit »unreflektierter Vollidiot« übersetzen kann, schleppen schon seit Jahren ihre Handies mit zum Kacken. Doch nicht, um angerufen zu werden, denn soviel haben sie immerhin schon gemerkt, es kackt sich schlechter, wenn die Gattin an der Funke nervt. Nein, diese Burschen wollen selber anrufen, andere Menschen mit ihrem Wortmüll zuschütten, ihre Macht dadurch zeigen, daß sie jeden aus seiner Arbeit reißen können, um ihn vor dem Telefon strammstehen zu lassen. Je mehr telefoniert wird, desto weniger wird gesagt. Schon heute sind 95 % aller Gespräche komplett unwichtig, längst hat sich die Kommunikation von den Inhalten emanzipiert. Es wird gequasselt und gesabbelt rund um die Uhr, die Arbeit bleibt liegen, und man erfährt nichts. Wer immer noch glaubt, es gäbe so etwas wie wichtige Telefongespräche, dem seien die Abschriften der fern-

Noch immer im Einsatz: Handy der 1. Generation

mündlichen Unterredungen zwischen Helmut Kohl und Erich Honecker zur Lektüre empfohlen. Auf höherer Ebene ist selten weniger gesagt worden. Doch warum melden so wenige Leute ihren Anschluß ab, warum ziehen so wenige ihren Stecker raus? Es muß die Angst sein, es könnte mal eine Anwesenheitskontrolle auf diesem Planeten via Telefon stattfinden, und wer nicht abnimmt, wird ausgelöscht. Diese Angst läßt stillende Mütter den Säugling vom Busen reißen und zum Hörer grapschen, duschende Männer tropfnaß über die Auslegeware hasten und womöglich längst Aufgegebene aus dem Koma hochschrecken, würde man ein Telefon neben das Krankenbett stellen. Immer mehr definiert sich jedoch in unserer Gesellschaft wirklicher Luxus in der Abwesenheit der Dinge. Was ist der Luxus, ein Handy zu besitzen, gegen den, es nicht besitzen zu müssen. Schon die Götter definierten sich einst dadurch, für den Menschen unerreichbar zu sein. Hatten sie die Schreckensherrschaft des Telefons schon vorhergesehen?

SELBSTSCHUSSANLAGEN DES KLEINEN MANNES
Bewegungsmelder

Juppheida, die Bekloppten haben ein neues Spielzeug entdeckt. Wir erinnern uns mit Grausen der Zeit, als uns aus wirklich jedem Jetta-Rückfenster zusätzliche Bremsleuchten anstarrten. Die Doofen haben sie mittlerweile wieder abgeschraubt und legen sich statt dessen gerne ein »Günther« oder »Karl-Heinz«-Emailleblech hinter die Windschutzscheibe, damit auch jeder sieht: Hallo, ich habe zwar keine zusätzlichen Bremsleuchten, bin aber trotzdem noch bescheuert. Zu Hause klemmen sich

BESOFFEN SEIN
Es gibt Menschen, die sich mit Alkohol betrinken, bis sie sich übergeben müssen oder ihre Frau vermöbeln. Viele von uns verstehen dieses Verhalten nicht und schütteln den Kopf. Doch muß etwas, das wir nicht verstehen, deshalb gleich schlecht sein? Lassen wir diesen Gedanken doch ruhig einmal zu.

Kassowarth von Sondermühlen

diese Surfer auf den Megatrends spätestens im September die elektrische Lichterkette an die Krüppelkonifere, und in den Sommermonaten wird alles, was nicht niet- und nagelfest ist, mit dem Hochdruckreiniger zerstäubt. Des Bekloppten Lieblingsspielzeug Mitte der 90er Jahre ist aber der Bewegungsmelder. Vorbei die Zeit, wo noch Erichs Stolperdrähte am Ossigehege den Ballermann aktivierten. DDR-Steinzeit-Technik! Heute kann sich jeder eine eigene kleine Zone in den Vorgarten basteln. Westliche High-Tech-Produkte registrieren jede Bewegung zwischen den Stiefmütterchen. Und dann werden die Flutlichtmasten am Flieder geschaltet und tauchen die vier Quadratmeter Vorgarten in gleißende Helle. Selbst wenn nur Nachbars Katze mit den Barthaaren wackelt oder die Kastanie aus den Ästen purzelt, reißt der Bewegungsmelder den Stromkreis auf. So verfällt denn der Siedlungsmensch des Nachts in eine Bewegungsstarre, um ja nicht sein Todesstreifenimitat zwischen den Rabatten zu erregen. Zugrunde liegt dem Einsatz der nächtlichen Grundstücksillumination letztlich der fatale Irrtum, bei den nocturnen Bösewichten handele es sich um »lichtscheues Gesindel« – und schwuppdiwupp die Lampe an, verscheuche den finsteren Burschen, hahaha. Dem Einbrecher ist es jedoch völlig egal, bei wieviel Lumen er die Bude ausräumt. Das ahnt nun auch der Siedlungsmensch und überlegt, wen oder was man außer der Lichterflut noch durch den Bewegungsmelder aktivieren kann. Heissa, damit könnte man doch auch Senfgas aus dem Rasensprenger versprühen oder die Tellerminen unterm Waschbeton scharf machen, um die Hypothekenfestung gründlich zu verteidigen. Schon jetzt sind Drückerkolonnen und Zeugen Jehovas seelisch zerrüttet. Kein Grundstück läßt sich mehr betreten, ohne daß ein Überraschungspaket an elektrischen Ferkeleien zündet: Hier heult eine Alarmsirene, dort klappt eine Vertreterscheuche aus den Rabatten hoch. Mit dem Kauf eines Bewegungsmelders zum Obi-Tarif kann endlich jeder Bekloppte sein Reihenhausgrundstück in ein kleines Alcatraz verwandeln. Wie schön! Auf jeden Fall sitzen die Richtigen drin.

SCHÖNER SPORT MIT TOTEN DABEI
Gar lustig ist die Jägerei

Piff, paff! schallt es durch den Living-Room, und der angeflickte Eherochen liegt im eigenen Schweiß. Flugs wird er mit dem Gattenfänger
aus der Decke geschlagen und ein Bund Petersilie durch den Äser gezo-
gen. Halali, gar lustig ist die Jägerei. Und wer hätte nicht Lust, nach zer-
mürbendem Ehegezänk dem fetten Geschwurbel in der Fernsehsasse mal
eins auf die Schwarte zu brennen. Doch leider sieht der Staatsanwalt die
Ausübung der Jagd in der eigenen Wohnung gar nicht gern. So verzieht
sich denn der Tötungssportler übellaunig in die Feldmark und ballert dort
die Tierchen tot. Nun, da wollen wir mal fünfe grade sein lassen und nicht
vom Bambi mit den großen Augen schwadronieren. Wenn's denn Fun
macht, warum nicht mal 'ne Schneise in die Schöpfung schlagen. Doch
wendet sich unser Urteil, o welch Graus, wenn wir bedenken, wer denn da
noch so alles erschossen wird. Es ist mitnichten irgendwelches herrenloses
Wild, das da sowieso rumlebt. Von wegen! Die grünen Brüder päppeln eigens für den späteren Blattschuß Kitz und Frischling hoch und weiden sie
auf fremder Aue, als ob Wald und Flur niemandem gehörten. Doch anderer Leute Eigentum kümmert den Weidgesellen wenig. Überall dort, wo
nicht Wohn- oder Gewerbegebiet dransteht, darf die schießwütige Kanaille ihre Opfertiere mästen. Marodierende Schweinerotten durchpflü-
gen die topgepflegte Monokultur und kacken an die Edelkarotte, die fürs
Kinderfertigfutter ausersehen ist – nur damit der Tötungssodomit sein
Späßken hat. Ich finde, es ist jedem Hobby-Umbringer zuzumuten, seine
Opfer in der eigenen Wohnung vorzuhalten – so wie es ja auch der blut-
rünstige Familienvater tun muß. Aber nein, Bambikaltmachen geht nur
draußen auf fremden Grundstücken. Jagdrecht nennt man das: ein Überbleibsel aus dem Feudalismus, als es dem Adel vorbehalten war, Hirsch und
Sau zu zehnten. Heute streifen Chefarzt und Hyundai-Händler durchs Unterholz und suchen mit sündhaft teuren Restlichtverstärkern nach dem

Reh. Wie jedes astreine Männerhobby dient auch die Jägerei im wesentlichen der argumentierbaren Abwesenheit vom Eheknast. Zusätzlicher Vorteil hier: Auch die Nachtstunden sind davon betroffen. Und ob der Gemahl auf die Ricke ansitzt oder auf der Sekretärin – wer vermag's zu sagen? So

Ausgestopfte Österreicher

kaufen sich Chefärzte Geländewagen und teure Knarren, haben müffelnde Köter auf dem Rücksitz liegen, nur um zweimal im Monat die Arzthelferin zu poppen. Und wir dulden diesen Mummenschanz in der Flur aus sentimentaler Rückschau auf die letzte Zwischeneiszeit, als jeder von uns noch Tiere packen ging, um satt zu werden. Doch, so meine ich, nicht jede Ernährungsform der Menschheitsgeschichte läßt sich hobbymäßig bis in alle Ewigkeit archivieren. Der eine schießt gern im Wald herum wie vor Hunderten von Jahren. Warum darf da der andere nicht seine Oma im Garten grillen? Kulturerbe der Menschheit ist beides.

SOZIALER HERPES DER SESSHAFTWERDUNG
Gäste

S ie kommen – am liebsten unangekündigt oder nach neunmaliger telefonischer Rücksprache. Sie gehen – wenn überhaupt, nachdem alle anderen vor Langeweile ins Koma gefallen sind oder der Getränkevorrat bis zur Bilge gelenzt wurde. GÄSTE! Wenn sie am Horizont auftauchen wie eine der sieben biblischen Plagen, hilft es nur noch selten, mit eilig heruntergelassenen Jalousien längere Abwesenheit vorzutäuschen. Meist haben sie schon ihren Kombinationswagen quer hinter drei Nachbarautos geparkt, die eilig zum Flughafen oder zur Blutwäsche müssen. Als wäre ihre eigene Anwesenheit nicht Geißel genug, haben Gäste gerne einen irgendwie ekligen Familienangehörigen im Schlepptau: sei es die furunkulöse Oma oder eine läufige Fuchshundmeute – alles liebe Kerls. Vielen Dank. Sowieso dabei sind die mißratenen Fortpflanzungsversuche nebst einer LKW-Ladung rappelnden Plastikspielzeugs – ist ja soviel Platz in dem neuen Kombinationswagen. Hereinspaziert. Kaffee, Kuchen juppheida. Mit dem Kriegsruf »Kann ich irgendwas helfen?« wird die wohlverwahrte Einbauküche in ein Chaos verwandelt. Nachdem das Tortenfuder ordnungsgemäß verklappt ist, kommt die Hauptattraktion der Gästebetreuung: debil um einen Tisch herumsitzen, Chips fressen, Quarzen, bis der Ficus fault, und blöde Scheiße labern. Merke: Der Anteil des Dumpfsinns am gesprochenen Wort verhält sich direkt proportional zur Anzahl der Gesprächsteilnehmer. Ab sechs Leuten – so die Faustregel – regieren nur noch uralte Witze, schale Spontanscherze und reflexionsfreies Geblubber die Runde. Um so erstaunlicher, daß dieser Dünnschißmarathon gut und gerne seine zehn Stunden währen kann. Dieselben Leute, die lauthals nach mehr Freizeit blöken, verplempern diese fast täglich durch sogenannte Geselligkeit – da trifft sich, was nichts mit sich selbst anzufangen weiß, und züchtet Hämorrhoiden bei Bier und Fluppen. Irgendwann ist der Salzlettentrog leergefressen, und der Ruf nach Geselchtem und Gesottenem wird laut.

Der rechnende Gastgeber wirft dann den Pansengriller auf den Rost und zaubert aus der günstigen Eiernudel und der Aldi-Mayonnaise ein schmackhaftes Magenfundament. Auf diese Weise recht kostenneutral abgefüllt, hofft der Heimgesuchte auf einen baldigen Abschied der Geißelgeber. Doch nichts ist. Durch den fleißigen Genuß bunter Liköre haben die Bewirtungszecken schon am Nachmittag ihre Fahrerlaubnis blank geschmissen. Wär' doch blöd, jetzt nicht weiterzusaufen. So folgt der zweite Aufzug des bräsigen Scheißelaberns in nikotinverseuchter Stube. Freund Allohol, wie immer dabei, glättet die gröbsten Verwerfungen des abgesonderten Schwachsinns. Endlich: halb vier in der Nacht: Keiner weiß mehr was Witziges, drei Leute schnarchen, einer kotzt, zwei diskutieren über Bosnien. Da wird's Zeit für die vielköpfige Gästeschar, das Nachtlager zu richten: Sofas ausklappen, Betten beziehen, versaute Nachtlektüre bereitlegen und Kotzeeimer holen. Und während die komatösen Besucher sich ins beduselte Nirwana rasseln, räumt der Heimgesuchte seine Wohnung auf: dreißig Aschenbecher entleeren, ausgesoffene Flaschen nach Farben und Pfand sortieren, Kotzeflecken aus dem Perser rubbeln, lüften und nochmals lüften, dreckiges Besteck aus dem Bücherregal fingern, Spülmaschine einräumen, mit den Gästekötern noch mal Gassi gehen … Verdammt, schon halb sechs. Schnell das Frühstück für den Besuch gezaubert, und nix wie weg zur Arbeit. Die können ja ausschlafen. Na – war doch wieder mal ein schöner Abend!

BUNDESVERKEHRSMINISTER

Manchmal sehe ich den Bundesverkehrsminister abgebildet in der Zeitung, und ich sage mir: Was für eine dumme Visage. Und sofort zucke ich zusammen. Wie konnte ich nur so ungerecht sein. Sicher gibt es irgendwo auch einen Menschen, der ihn liebt. Ich will es zumindest hoffen, liebe Freunde.
Kassowarth von Sondermühlen

NEGER, NEGER, NEGER, KRÜPPEL, FRAU...
Political Correctness

Political Correctness. Dafür gibt's kein Wort im Deutschen, was ausnahmsweise mal *für* dieses Land spricht. Dennoch ist das angeschwult begriffliche Herumlavieren um harte Worte auch hier zu einem gesellschaftlichen Muß geworden. Der Neger und der Krüppel schieden zuerst dahin, aus Lehrling und Student wurden alsbald Azubi und Studierender. Der Idiot mauserte sich schließlich zum »geistig Andersbefähigten«. Gastarbeiter heißen ausländische Arbeitnehmer und Asylanten Asylbewerber. Als ob die sprachliche Tünke auch nur einen Deut die gesellschaftliche Realität verändern, geschweige denn verbessern würde. In Lübeck schon brannte das Asylbewerberheim sicherlich genauso gut, wie es das Asylantenheim getan hätte. Wenn die Menschen sich in die political correctness fliehen, dann, um zumindest in der Sprache eine heile Zuckerbäckerwelt zu erschaffen. Dieses heuchlerische Umrubeln der alten Wörter leugnet die Identität der Bezeichneten. Was soll man denn vom Farbigen halten, der gestern Neger hieß, heute Afrikaner und morgen womöglich »pigmentmäßig Andersgeformter«? Immer war es ein Zeichen der totalitären Staaten, sich die Sprache nach ihrem Gusto zu formen: aus dem fettwanstigen Deutschen wurde der Arier, aus dem Todesstreifen der antifaschistische Schutzwall. Heutiger Träger der totalitären Gewalt ist nicht mehr eine Partei oder eine Klasse, sondern der gesellschaftliche Konsens, dieses breiige Gefühl des irgendwie Zufriedenseins. Es ist das Gefühl nach einer McDonald's-Mahlzeit, das Gefühl nach dem RTL-TV-Roman oder dem Besuch eines Freizeitparks. Irgendwie war es nicht wirklich toll, aber auch nicht wirklich total scheiße, es war halt ok, wie man heute so sagt, wenn man sich gelangweilt hat, aber nicht weiß warum. Auf diesem Nährboden des schwiemeligen Gefühlsmorastes mußte ein Neusprech für die fadenscheinige Oberfläche entstehen, political correctness eben. Gebt dem irgendwie Gebeutelten die Illusion der Anerkennung, gebt ihm neue Wörter,

Polnische Schwarzarbeiterinnen, nicht nur fleißig und preiswert – auch noch lustig

und er wird eine Zeitlang seine Schnauze halten. Noch gar nicht lang ist's her, da wurden aus den Eskimos die Inuit. Was war schlecht am Eskimo, und wer weiß, ob Inuit in Eskimosprache nicht doch heimlich »Herren-rasse« heißt. Grad beim kulturell gemordeten Arktisbewohner jedoch wird deutlich, wie die neuen Wörter der finalen Entmündigung nur um den Wimpernschlag der Geschichte vorausgehen. Drum seid lustig und seid froh, ihr Hottentotten, Kaffern und Kanaken, und gebt Obacht, wenn sie euch die neuen schönen Namen geben, denn dann geht's euch ganz gewiß recht bald an den Kragen.

WENN DER FÜHRER PLÖTZLICH ZU DIR SPRICHT
Kante an den Sack

Die Hölle, das ist der andere«, faßte schon Jean-Paul Sartre in den Fünfzigern seine Erfahrungen mit den öffentlichen Verkehrsmitteln zusammen. Nirgends rückt einem der widerliche Schöpfungskollege auch dermaßen auf die Pelle wie hier im Zwischendeck des Sozialstaates. Als ob Old Spice Intimspray und Ballonseidenfummel nicht genügten, hat Freund Blödian noch eine Wunderwaffe im Arsenal: das »Kante-an-den-Sack-Labern«. Darunter versteht man den »sinnentleerten Mitteilungsdrang hirnamputierter Volltrottel in ausweglosen öffentlichen Räumen«.

»Na, höhhö, auch mit'n Bus unterwegs?« beginnt zumeist der Angriff auf den harmlosen Mitreisenden. Was soll man darauf antworten? »Nein, du Arschloch, dies ist ein Raumschiff!« Es geht nicht, irgendwie geht es einfach nicht. Also nickt man nur mit dem Kopf und glotzt angestrengt aus dem Fenster. Das wertet die Gesprächszecke allerdings als Aufforderung, noch tiefer in das Thema einzusteigen, und sie legt einen weiteren Knaller nach: »Wir lagen damals mit 20 Mann bei Woronesch am Don, … 44.«

Au Scheiße, einer von diesen Megafertigen, die der Iwan schon nach 2 Wochen aus der Gefangenschaft rausgeworfen hat, weil er das Gesülze nicht mehr ertragen konnte. Vorsichtig fingere ich nach dem Nothammer an der Fensterscheibe, um den Querausstieg aus der Buslinie 64 vorzubereiten. Doch zu spät, neben mir ist ein Platz frei geworden, und der »Kante-an-den-Sack-Laberer« geleitet mich zurück an den Don. Mit Resten des Originalatems aus dem Jahre 1944, in dem man noch den Widerhall der Reichsdosenfleischversorgung wittert, gibt unser Freund eine kurze Ausrottungsprognose für 200 Millionen Menschen ab.

»Hätten wir in der Manstein-Offensive die Lafetten mit der 8-cm-PAK rechtzeitig an die Front geschafft, wäre der Iwan heute von der Landkarte ausradiert, aber hundert Pro.« Schau an. Kleine Ursache, große Wirkung. Hätte *ich* die Lafette mit der 8-cm-PAK rechtzeitig gehabt, säh deine

Fresse jetzt auch anders aus, denke ich und sehne mich nach der nächsten Haltestelle wie ein Verdurstender nach Afri Cola.

»Und selbst? Auch gedient?«

Ich hatte es geahnt: Die Schulterschluß-Frage! Nach der Devise: Haha, wir alten Landser, im Felde ungeschlagen, uns macht keiner was vor. Doch da war auch noch etwas anderes in der Frage, etwas Degradierendes. Was konnte ich schon antworten: Ja, hihi, 15 Monate Wehrdienst bei der Luftwaffe. Darauf würde das großdeutsche Arschloch an meiner Seite unweigerlich sagen: »Luftwaffe, hä, hatten wir damals auch, waren alle schwul, die Schlipssoldaten.«

Nein, nix da, diesen späten Sieg der großdeutschen Artillerie nun doch nicht, und schon gar nicht von diesem ekelhaften Kante-an-den-Sack-Laberer. Das Bürschchen brauchte eine Abreibung, damit er seine Fascho-Kacke nicht in jedes öffentliche Nahverkehrsmittel entleerte. Was ich dann sagte, stimmte zwar nicht, verfehlte aber nicht seine Wirkung.

»Hör mal, du Arsch, was hast du da vorhin gesagt, du hast 44 nicht rechtzeitig die 8-cm-PAK an die Front nach Woronesch gebracht, hä? *Du* warst das, weißt du, wer da gefallen ist, hä, weil er nicht rechtzeitig die 8-cm-PAK gekriegt hat? Hä, weißt du das, du Arsch? Mein Opa, du Kameradenschwein!«

»Aber, abber die beschissene Versorgungslage …«

Es folgten noch ein paar Ausflüchte über die beschissene Versorgungslage an der Ostfront, aber da hatte der Nothammer schon sein linkes Auge im Visier, warum auch nicht, auf dem rechten war er sowieso schon blind. Wie sich nachher rausstellte, ist er bis vor kurzem Staatsanwalt an einem Oberlandesgericht gewesen. Heitler, Land der Bekloppten und Bescheuerten!

DARESSALAM

»Daressalam«, was für ein schönes Wort.

Warum kann nicht Visselhövede so heißen?

Was auch immer dem Neger an wirtschaftlichem Vermögen gebricht,

Orte benennen, o ja, darauf versteht er sich, der braune Bruder.

Kassowarth von Sondermühlen

DIE HAUPTSTADT DES 21. JAHRHUNDERTS
Gewerbegebiet

Irgendwann, wenn es diese Zivilisation längst nicht mehr gibt – in etwa drei oder vier Jahren –, wird man die Epoche, in der wir jetzt leben, die Zeit der »Gewerbegebiet-Leute« nennen. Ähnlich wie es vor uns die Schnurbandkeramiker oder die Pfahlbauleute gab. Nichts prägt den Beginn der Neunziger so stark wie das alles überwuchernde Gewerbegebiet, diese Architekturkotze aus Reno-Märkten, Wohnmobil-Absattelplätzen und kalt hingeschissenen Pizzabuden. Längst ist nicht nur der armselige Proletarier in die kubische Wüste an der Autobahn verbannt, auch der White-Collar-Malocher bewohnt seinen Bürosilo zwischen OBI und PUPSI. Alle großen Hotelketten haben ihre Vertreterfallen an die Autobahnausfahrten gerückt und lauern mit Schnupperwochenenden auf den Zweit-Beschäler und seine Sozia aus dem Vorzimmer. Nachdem die Stadtverwaltungen durch rigide Lärm- und Parkverordnungen das Disco-Abzockergewerbe von der City in die Outskirts vertrieben haben, fehlten zur kompletten, integrierten Vergnügungseinheit eigentlich nur noch die Daddelhallen und die Kolleginnen von der horizontalen Front. Doch sie sind schon längst dort. Während man beim Reifen-Spezi den Pneu auswuchten läßt oder im Car-Hifi-Stadl der neue Brüllschrank in den Japaner montiert wird, kann Pappa eben auf dem Restehaufen des Teppichbodenparadieses die Professionelle bespringen. Danach 'ne Krakauer im Niedersachsengrill oder bei Möbel Unger im Café 'n Stück Schwarzwälder. Ist doch schön? Ist doch klasse. Du hast einfach alles im Gewerbegebiet, und kein Scheißdenkmalschützer regt sich auf, wenn morgen früh der Real-Kauf gesprengt wird, keine Anwohnerinitiative nörgelt an pseudokruppverseuchten Kleinkindern herum, bloß weil achtzigtausend Autos täglich durch die Stadt der Zukunft fahren. Denn das ist ihr Geheimnis, das macht Gewerbegebiet-City so attraktiv für alle: Hier wohnen keine Menschen, keine miesepetrigen Tempo-30-Lehrer, keine Kinder, keine Alten. Gewerbegebiet-City ist Future-Town:

nur noch Verkauf, sonst nix. Und wer nicht kauft, fliegt raus. Fast alle, die was zu verkaufen haben, sind schon hier: der Auspuff-Discounter, der Tapeten-Fritze, der Spielzeug-Verbrecher, die Lebensmittel-Vernichter, Mister Minit, Praktiker, Obi, Dubi Du. Nach ihnen kamen die Discos, die Kino-Center, die Fitneß-Hallen, die Buletten-Tempel, und bald kommen die Kirchen und die Drive-in-Krematorien, und in ein paar Jahren haben wir vergessen, was eine richtige Stadt war, denn überall ist Gewerbegebiet-City, wo du fressen, saufen und nageln kannst, deine Teppichfliesen und Intimsprays kaufst, deinen Gott nicht findest und erst recht nicht dein Auto, das du irgendwo zwischen dreitausend anderen geparkt hast. Und wenn du nichts mehr kaufen kannst oder willst, wenn du nicht mehr saufen und nicht mehr fressen kannst, weil du vorhin schon nach der Krakauer gekotzt hast, dann mußt du raus aus Gewerbegebiet-City, zurück in deinen Betonkäfig zwischen die anderen Käfige und im Fernsehen gucken, was du dir morgen holst in BIG Gewerbegebiet-City. Denn dort, wo man dich wohnen läßt, gibt es nichts mehr: kein Kino, kein Brötchen, keine Krakauer, keinen Gott. Nur einen verwarzten Köter und einen alten Mann, und einer von beiden pißt jeden Morgen in den Lift. Hasta la vista, Mädels.

Die Straßen tragen noch die Namen der Urbevölkerung

GEISTERBAHN MIT RAFFGIERIGEN
Sonnabends in der City

Trotz gegenteiliger Propaganda durch das täglich Fernsehprogramm *darf* man andere Menschen gar nicht mit der Axt zerteilen. Wie aber dann ist ein Vorwärtskommen in der Fußgängerzone an einem Sonnabend zu bewerkstelligen? An Schnäppchenführers Geburtstagen torkeln die Konsumspasten wie waidwund zerschossene Wildschweine durch die innerstädtischen Waschbetonreviere. Um möglichst viele andere Bekloppte und Bescheuerte anzurempeln, wird jedem fettleibigen Monster durch Taschen und Pakete eine Spurverbreiterung auf 2,50 Meter verpaßt. Aussichtslos, solche Einkaufskreuzer überholen zu wollen. In den jeweils äußeren Plastiksäcken transportieren sie scharfkantigen Messing-Nippes aus der Eduscho-Forschung; und sind sie kleiner als 1,60 Meter, haben sie garantiert einen Schirm aufgespannt, um mit dessen Zacken in Augenhöhe des Durchschnittseuropäers operieren zu können. Nach dem Zufallsprinzip bleiben sie immer wieder unverhofft stehen und verursachen lustige Aufgehunfälle. Die Widerwärtigsten von ihnen kaufen sich 5 m lange Vorhangschienen und fuchteln damit in den Gesichtern ihrer Mitidioten herum. Wehe dem, der tatsächlich etwas zu erledigen hat, hoffnungslos ist er den Konsumvielfraßen ausgeliefert, die nur an sich raffen, um möglichst viel Platz wegzunehmen. Mit scheinbar abwesendem Blick reiben sie in der Kassenschlange ihre Genitalien an den Einkaufstaschen des Vordermannes oder schubbern am hart umkämpften Grabbeltisch herum. Für sie ist die Einkaufshölle am Sonnabend der Darkroom ihrer perversen Seele. Mit geladenen Schwellkörpern suchen sie die Enge der Kaufhäuser, suhlen sich in den Körperdünsten der Park-and-Ride-Gefangenentransporte oder pupsen wollüstig mitten in den Öffi.

Es gibt Zeiten, da erlahmen in jedem die ansonsten allgegenwärtigen Ausrottungsphantasien, da will man nicht mehr unbedingt mit einer gezielten Atombombe die Warteschlange an der Supermarktkasse bevölkerungspolitisch bereinigen – nein, es kommt sogar eine gewisse Restsympathie für den Kollegen Mitmensch auf. Er will schließlich auch leben, warum sollte man ihn durchsägen. Damit daraus keine unkontrollierte Nächstenliebe wird und die Fundamente unserer kapitalistischen Werteordnung in Frage gestellt werden, schuf der Herr am sechsten Tag den Sonnabend – in wahrendem Gedenken an den Mitmenschen als Arschloch. Es ist der einzige Feiertag, der seinen Zweck erfüllt. Wer gedenkt schon der verblichenen Oma am Totensonntag, wer büßt am Buß- und Bettag. Doch an einem Sonnabend, da versammeln sie sich in den Tempelbezirken der Städte, rempeln und fressen, schubsen und saufen, bis sie einander nicht mehr ausstehen können. Und am Abend in ihrer Zelle wissen sie es wieder: Was bin ich doch für ein Wunderwerk der Schöpfung, und was sind die andern doch für widerwärtige Arschlöcher. Und die Botschaft, die diese Gesellschaft am Leben erhält, ist wieder in den Gehirnen, und auf den Kofferraumklappen kleben wieder die ausgestreckten Mittelfinger.

RAUHFASERTAPETE
**Stundenlang schaue ich zu Hause oft
auf die Rauhfasertapete und versuche
eine Regelmäßigkeit, ein Muster zu entdecken.
Doch da ist nichts, das sich wiederholt,
jeder Zentimeter ist spannend und neu.
Manchmal denke ich, ach wäre doch das Leben
oder das Fernsehen ähnlich abwechslungsreich
wie die bescheidene Tapete an der Wand.
Kassowarth von Sondermühlen**

IN JEDEM LOKAL LAUERN FEINDE
Kellner

Der kürzeste Weg zwischen Durst und dem schönsten Gefühl der Welt ist der direkte Marsch zur Bierkiste. Um aber das Leben nicht allzu vollkommen und paradiesisch zu gestalten, erschuf der Teufel die Kellner: böse und griesgrämige Kreaturen, die nur aus Rücken bestehen. Durch bloße Anwesenheit verwandeln sie jeden Gast in einen wild mit den Armen in der Luft herumfuchtelnden Vollidioten. Als würde man seine Bestellung vor einem Gehege geisteskranker Lamas formulieren, glotzen die depressiven Burschen langweilig paffend im Schankraum herum. Verzweifelt wünscht man sich das komplette bundesdeutsche Kneipenpersonal mit japanischen Infrarot-Empfangsteilen nachgerüstet, daß es ähnlich wie der devote Videorecorder seinen Dienst verrichten möge. Seitdem der Beruf des Kellners in Deutschland kaum noch von geschulten Kräften ausgeübt wird, sondern jeder Sozialpädagogikstudent damit seinen sinnentleerten Aufenthalt an der Alma mater verlängert, ist die Qualität ins Bodenlose gesunken. So wird

Olli und Ditze aus dem »Chez Lar's«

einem also der überschwappende, pißwarme Kaffee oder das 27-Minuten-
Bier von einem Subjekt kredenzt, das dem Selbstwertgefühl nach den Arsch
voller Pulitzer- und Nobelpreise hat. Nur »der Kohle wegen« läßt sich Kollege Einstein herab, in »Furzis Pizzapinte« den okzitanischen Rhabarber-
saft »total cool« durch den Raum zu tragen. Könnte man wenigstens dem
phlegmatischen Zausel ein saftiges Trinkgeld in die Hand drücken, damit
er sich für die Dauer des eigenen Kneipenaufenthaltes in den Urinraum ver-
pißte. Aber nein, gnadenlos starrt der Samson qualmende Steinzeitmensch
auf mein Souflaki aus Bodenhaltung, während andere Gäste hilflos mit
den Extremitäten in der Luft herumrudern, um sich in die Liste der Biersub-
skribenten einzutragen. Doch noch bevor der letzte Happen in den
Schlund gewandert, wird der Teller weggerissen mit der ewig jungen Zyni-
kerformel »Hat's geschmeckt?«, worauf man laut jahrhundertealtem Ver-
haltenskodex unerfindlicherweise mit »danke« zu antworten hat, statt
eine detaillierte Liste der unmittelbaren Vergiftungserscheinungen runter-
zurasseln. Dem Kellner ist das eine so gleichgültig wie das andere. Um den
Anstoß für den peristaltischen Rückwärtsgang zu geben, hat er während
der Fragestellung den überfüllten Aschenbecher in die Essensreste gekippt.
Wie praktisch. Kommt ja beides in den Müll, warum da zweimal laufen. Der
Dialog aus Marlborokippen und Souflakiknorpel wird schließlich doch in
den Kneipenorkus verschleppt, wo ein sozialpädagogischer Kochdarsteller
einen heiteren Saucenfond aus den Resten kreiert. Unser Mann mit der
Schürze ist mittlerweile wieder am Tisch erschienen, natürlich nicht, um sich
nach einem weiteren Wunsch zu erkundigen, sondern um die Worte loszu-
werden: »Ich muß jetzt kassieren.« *Wie denn, wo denn, was denn? Wir
würden aber gerne noch …* Das sei ihm scheißegal, der Kollege, der eigentlich jeden Moment kommen müsse, übernehme dann Tisch 17. *Ob er vielleicht schon mal 3 Pils …* Nein, der Chef risse ihm ein Ei ab, käme ja alles
durcheinander. Zusammen oder getrennt? *Getrennt!* Ach du Scheiße. Du
da: 42,80 Mark. *Das kann aber nicht, ich habe doch nur 2 Bier und eine Pizza
natur …* Dann eben 18 Mark! *20, stimmt so.* Und so fort. Überflüssig zu sagen, daß der anvisierte Kollege erst nach 1½ Stunden auftauchte und dann
in Ruhe ein Kilo Samson wegpaffte, bevor er sich in Servierstimmung wähnte.

SO LAUTET DIE LETZTLICH EXISTENTIELLE FRAGE:
Was soll man eigentlich alles?

Vor Antritt der Fahrt Beleuchtung und Richtungsanzeiger überprüfen, vor dem Sommer unbedingt gegen Zecken impfen lassen, ab 35 Krebsvorsorge, Dachrinnen halten länger, wenn die Kehle mit Acryllack gestrichen wird, tasten Sie die Prostata ihres Hundes einmal wöchentlich auf Geschwulste ab. Hilfe!!! Was soll man eigentlich noch alles? Nach dem Höhöhö und vor dem Essen, Händewaschen nicht vergessen. Kaufen sie nicht *jeden* Abflußreiniger! Preisvergleich lohnt sich! Auch Schlüpfergummi läßt sich unter Umständen von der Steuer absetzen! Quittungen aufheben! Achten Sie auf den Beipackzettel Ihres Vollkornbrötchens, merken Sie sich ihre Schließfachnummer, der Bürgersteig ist bei Schnee vor 7 Uhr morgens vom Mieter der Erdgeschoßwohnung vorne links zu reinigen. – Nein! Der Mieter macht nämlich noch Bubu und scheißt was drauf, ob sich jemand auf die Schnauze legt. Irgendwie hatten wir uns das Erwachsenenleben alle doch etwas entspannter vorgestellt. Poppen, saufen, lange schlafen! So in der Art. Statt dessen treten wir wie die notgeilen Hamster das Laufrad nach vorn, wir füllen Formulare aus, fahren eine Tankstelle weiter, wenn der Sprit 'nen Pfennig zu teuer ist, lesen 80seitige Gebrauchsanweisungen, bevor wir die Glotze anstellen, wissen, welche unheilbare Krankheit jeweils aktuell von welchem Lebensmittel erzeugt wird. Irgendwie hatten wir uns das Erwachsenenleben etwas geiler vorgestellt. Auf'm Sofa rumliegen, ohne Nummernschild Motorrad fahren und nachts Spaghetti kochen, wenn man Bock drauf hat. So in der Art. Pustekuchen, angeschmiert! Bist du erst 30, kannst du das Erwachsenwerden kaum noch rauszögern. Selbst ätzende Berufsjugendliche wie Wolfgang Niedecken haben ein Girokonto und »machen irgendwas fürs Alter«. Man glaubt es nicht, aber du erwischst dich selbst dabei, wie du einen Überweisungsträger ordnungsgemäß ausfüllst, statt einmal »Ficken« quer drüber zu krakeln, wie es jeder normale Mensch tun würde. Als Erwachsener fühlst du dich wie eine Teppichfliese, die exakt zwischen die anderen Teppichfliesen paßt, damit alle drauf rumtrampeln können. Apropos Teppichfliesen! Wenn man sie täglich gegen den Strich mit Natronlauge bürstet und dreimal Simsalabim in Richtung des Herstellerwerkes murmelt, halten sie viel länger. Hätten Sie's gewußt? Was soll man um Himmels willen noch alles tun? Selbst der eigene Teppichboden, den man für einen anspruchslosen Partner hielt, schreit nach Liebe und Fürsorge. Pro Kind muß man am Tag mit durchschnittlich 2,43 Stunden Pflegeaufwand rechnen. Tut mir leid, keine Zeit. Wer soll sich dann um meine Schuhe kümmern. Morgens und abends bürsten, einfetten, polieren, Schuhspanner einsetzen und jeweils alternierend einen Tag Ruhe gönnen. Haha! Und die Hemden, wer bügelt die? Man selbst, zeitsparend während der Tagesschau, oder die Heißmangel, mittwochs zu, morgens 10 bis 12.30 Uhr, freitags geschlossen. Gott sei Dank hat der Tierarzt gegenüber auf, und ich wollte schon seit Jahren mit der Katze wegen der Hüfte, schade, ich hab' sie nicht dabei, vielleicht auch besser so, denn sie ist seit anderthalb Jahren tot. Was soll man eigentlich noch alles schaffen, bevor man endlich den Arsch zukneifen darf? Au Scheiße: vergessen, Sargpreise zu vergleichen!

GESCHLECHTSVERKEHR

»Geschlechtsverkehr«. Wer denkt da nicht an eine Vielzahl von Teilnehmern, und doch sind in der Regel nur zwei gemeint. Wären hier nicht Begriffe angebrachter, die allein vom Worte her schon das Teilnehmerfeld begrenzten? Pimmelschach z. B. oder Samentennis. Denken Sie mal drüber nach.
Kassowarth von Sondermühlen

ÖFFENTLICHE FERNSPRECHZELLEN IM DESIGN-RELAUNCH

Gelbe Telefonzellen

Alles fing damit an, daß ein weißhaariger Vorstadtdrachen, genannt Eiserne Lady, sich vornahm, Großbritannien zu ruinieren. Ein Programmpunkt war die Vernichtung der Königlichen Post durch Privatisierung des Telefondienstes, äußerlich erkennbar daran, daß die roten Telefonhäuschen zunehmend silbrigen Liliputaner-Bushaltestellen mit der Aufschrift »British Telecom« weichen mußten. Wunderbar, dachten sich die Bekloppten und Bescheuerten in Deutschland, das machen wir auch. Über vier Generationen haben sich die Menschen in diesem Lande an gelbe Telefonzellen gewöhnt, sie gehören zum Erscheinungsbild der Städte und Gemeinden wie die Kirche und das Rathaus. Plötzlich kommen ein paar durchgeknallte Werbefuzzis daher und meinen, ab jetzt stellen wir auch silbrige Rindertrockenhauben in die Fußgängerzonen, das ist doch viel witziger. Noch nicht genug: Die knallmausgrauen Lieferwagen mit der dezenten Aufschrift »Fernmeldedienst« werden ersetzt durch lustige weiße Kullerautos mit dem Schriftzug »Telekom-Service« in der appetitanregenden Farbe eines gut plazierten Lungendurchschusses. Widerlich. Wo sind die Denkmalpfleger, die diese Lumpen in Ketten legen, um zu verhindern, daß noch mehr Kultur vernichtet wird. Warum nicht gleich »Gottesdienst« umbenennen in »Sakro-Service« und alle Kirchen grün-lila anstreichen. Es reicht dem Pack anscheinend nicht, jede Hausecke und jedes unaufdringliche Trümmergrundstück mit riesigen Werbeflächen für Tiefkühlfraß und vergiftete Unterhosen zu versauen. Nein, überall schlägt das Verpackungsdesigner-Gesindel zu. Und wer könnte da besser drauf reinfallen als der schwerfällige Bundespostkoloß. Die Abschaffung der gelben Telefonzellen war der Anfang vom Ende. Als nächstes wurden Millionen aus dem Fenster geschmissen, um jeden Paketlaster mit mannshohen fünffingrigen Idiotenaufklebern zu verschandeln. Witzigkeit kennt auch hier keine Grenzen. Schon lange erkennen wir den Briefträger auf der Straße nicht mehr. Trug er früher eine auch nicht gerade vorteilhafte, leicht im Schnitt abgewandelte Reichswehruniform, so streunen heute die Zusteller durch die Straßen, als ob sie auf dem Flohmarkt alte NVA-Reste zusammengebettelt hätten. Es ist nur noch eine Frage der Zeit, wie lange sich die CI-

JOH. SEB. BACH

Johann Sebastian Bach, ein Genie, ein Ausnahmemensch. Ja, und doch nannte er, wenn er ein Werk vollendete, es bescheiden nur eine »Fuge«, nicht etwa eine Fliese oder gar 4 x 2.80 Auslegeware, nein, nur die Fuge sollte es sein. Ach, könnten auch heute die Menschen noch so bescheiden sein wie einst der große Komponist aus der ehemaligen DDR.
Kassowarth von Sondermühlen

Fuzzis den Wildwuchs angucken. Schon bald werden die gelben Engel der Postwurfsendung in lustige Kittel mit Werbeaufdruck gesteckt und haben ein extrem witziges Papierschiffchen auf dem Kopf mit der Aufschrift »Ich komme einmal täglich! Dein Posti«. Grauenhaft. Spätestens dann wird es Zeit, den in die Jahre gekommenen Dobermann zu reaktivieren und wie zufällig am Vormittag durch den Garten laufen zu lassen. Insgesamt bleibt uns jedoch nichts anderes übrig, als hilflos mit anzuschauen, wie ein Haufen Marketingbekloppter ein Stück unserer Identität raubt. Nach der Einführung des ekeligen neuen Fünfmarkstücks und der glibbergrünen Polizeiautos in den Siebzigern setzt das System in den Neunzigern zum zweiten entscheidenden Schlag gegen den guten Geschmack an: neue Papagallogeldscheine, die jeder fotokopieren kann, und Telefonzellen, die aussehen wie Einmannpinkelhäuschen für Exhibitionisten. Gute Nacht, Deutschland.

GRUNDRECHT MIT ÜBLEM NACHGESCHMACK
Freie Meinungsäußerung

Als die Väter des Grundgesetzes eines Morgens noch blau vom Abend davor in den Sitzungssaal kamen, beschlossen sie »Das Recht auf freie Meinungsäußerung«. Schade. Denn leider sind über 100 % der freilebenden Bundesbürger keine Tucholskys und verlegen auch kein anarchisches Monatsblättchen. Aufgrund dieser fundamentalen Rechtseinräumung geben sie aber zu allem und jedem ihren Senf dazu.

Sonnabend nachmittag: Ich stehe an der Straße und versuche mit Ata die Taubenscheiße und Mückenkadaver von meinem Auto zu rubbeln. Da tritt ein wildfremder Mensch in mein Leben und plaziert seinen wohlgeformten Meinungsschiß: »*Würd' ich nich machen, da bleiben winzige Kratzer im Lack.*« – Möglicherweise, wäre mir aber sonst gar nicht aufgefallen, seither seh' ich aber jeden Morgen ein totalzerkratztes Auto und ärgere mich schwarz. – Die neue Wohnung, Gäste werden durch die Räume geführt. Man betritt stolzgeschwellt das exakt nach dem Katalogvorbild gestaltete Protzo-Bad. Prompt klatscht die erste Meinungsfäkalie auf die blütenweiße Kachel: »*Hätt' ich so nich gemacht, aber kann ja jeder machen, wie er will.*« – Die perfideste Form des Meinungsterrors: Das mal so eben dahingeschlenzte Todesurteil für die sündhaft teure Naßzelle kommt gänzlich ohne Argumente daher und sonnt sich auch noch in der Generosität der Toleranz gegenüber andersartigen – wenn auch nicht nachvollziehbaren – Badezimmerentwürfen. Aber so sind sie, die blöden Hunde, an jeder Ecke heben sie ihr Bein und strullen ihre Meinungspisse in der Gegend herum. – Es schellt an der Haustür, ich öffne und stehe einem Unbekannten gegenüber. Sein erster Satz: »*Ich hätte die Tür 5 cm weiter nach rechts gebaut.*« – Ach nee, ist ja interessant, und ich deinen Kopf über den Augenwülsten 5 cm höher. –

Was bringt die Bekloppten bloß zu der Vermutung, irgend jemand sei an ihrem Gehirndünnschiß interessiert. Sie äußern sich ja nicht nur zur Fassadengestaltung fremder Anwesen, sondern haben auch und gerade zu weltpolitischen Themen eine wohlüberlegte Meinung parat: »Bosnien, oder wie dat da heißt – zehn deutsche Planierraupen, und das Problem wär' vom Tisch.« – Tiefbau als humanitäre Hilfe, wie schön … »ununun dann Betong drübber.« Sicherlich! – Warum gibt es keine Abfallcontainer für braune Meinung, grüne Meinung und was weiß ich welche noch: Hauptsache, die Behämmerten halten ihre Köpfe in die runden Löcher und labern ihren Mumpitz direkt in die schallisolierten Behälter. – Solange diese drängende Entsorgungsfrage noch nicht gelöst ist, muß jeder Unbescholtene, der sich in die Öffentlichkeit wagt, darauf gefaßt sein, Opfer der freien Meinungsäußerung zu werden.

Ein Mann steht auf einem Bein mit Krücken vor dem Kaufhaus und hält eine Blechdose vor den Bauch. Statt still und andächtig den Obolus zu entrichten, schreitet der Bekloppte wie immer zur gnadenlosen Meinungsablage: »Ich an deiner Stelle hätte lieber zwei Beine – aber kann ja jeder halten, wie er will.«

LOCH

Was ist ein Loch? Wenn irgendwo in der Tür an einer Stelle keine Tür ist, dann ist das ein Loch. Wenn jedoch in einer Wand überhaupt keine Tür ist, dann ist da kein Riesenloch, sondern nur Wand. Wie trügerisch ist doch die Sprache. Und wie wunderbar ist es doch zugleich, daß kaum jemand vor die Wand rennt.
Kassowarth von Sondermühlen

DIE HEIMLICHEN WILDEN

Leute vom Bau

Sie leben in Lieferwagen, kennen die schlechtesten Witze der Welt und treiben den Durchschnittsbierverbrauch der Deutschen um 100 Liter pro Person nach oben: die Leute vom Bau. Im Paläolithikum spaltete sich zum letzten Mal ein Zweig in der Geschichte der Menschwerdung ab. Während die einen zum Homo sapiens wurden, gingen die anderen zum Bau. Finstere Zementmorlocks, die noch heute mitten unter uns leben. Dreimal so oft wie wir müssen sie pro Tag ihren Darm entleeren, dazu schleppen sie blaue Kisten hinter sich her mit der Aufschrift Dixi oder Toitoi. Sind die Dinger voll, manscht der Homo speißiensis seinen Zauberschlamm daraus. Den klebt er zwischen die Backsteine, am liebsten aber ins Profil seiner

Schade, das Erdgeschoß haben sie vergessen

klobigen Treter, mit denen er frischverlegten Samtvelours entjungfert. Anders als der Homo sapiens kennen die Leute vom Bau weder die Schrift noch die Uhr. Und ihre Sprache ist ein feuchtes Gebrabbel mit Lehnswörtern aus dem Baumarktprospekt. Unvermittelt tauchen sie an Baustellen auf, sägen einen Balken halb durch und verschwinden für Stunden in den blauen Kisten. Spätestens um halb vier schlägt die innere Uhr der Hominiden Alarm. Unisono krabbeln sie mit eilig verschlossener Manchesterhose ans Licht und brummen zurück in ihre Verstecke, die noch nie jemand gesehen hat. Dort trinken sie hektoliterweise Bier, grillen ihren armen Vetter, das Schwein, und pflanzen sich auf die einfachste Weise fort. So, wie die Drachenboote der Wikinger bei ihrem Erscheinen einst die europäischen Küsten in Angst und Schrecken versetzten, erbleicht der Siedlungsmensch, wenn die Speiß- und Mörtelleute ihre blauen Köttelkisten auf seinem Grundstück abladen. Für die nächsten anderthalb Jahre werden nun täglich verkrustete Bullis bei ihm vorfahren, und geduckte Großsäuger werden mit zusammengefalteten Zeitungen zu den blauen Kisten schleichen. Geflockter Montageschaum wird die Rabatten verfilzen, Farb- und Kleberreste werden den Mutterboden kontaminieren und verlorene Spaxschrauben die Kinder vereitern.

Als gewiefter Bauherr empfiehlt es sich, eine Zeitrafferkamera zu besorgen, um den Arbeitsfortschritt zu bemerken. Fällt der Alkoholpegel der Wechselblüter allerdings unter 2 Promille, hilft auch der Zeitraffer nicht mehr. Dann muß hurtig Apfelkorn nachgefüllt werden, bis sich das Wesen wieder rührt. Ist kein Schnaps parat, verfällt das Baureptil in tagelange Nüchternstarre.

Sollte es einen Menschen nach den Leuten vom Bau verlangen – aus welchen schwer nachvollziehbaren Gründen auch immer –, reicht es aus, seinerseits eine blaue Köttelkiste in den Garten zu stellen. Schon nach ein, zwei Tagen werden die ersten Speißfliegen und Mörteltiere um den Kackomaten schleichen und wittern. Sollten dann noch zufällig ein Kubikmeter feiner Sand und ein paar Säcke Zement herumliegen, kann man sicher sein, daß sich eine Kolonie der dumpfen Säuger angesiedelt hat. Bloß – wie man sie wieder los wird, dafür gibt es kein Rezept.

GERÄTE, DIE SCHLAUER SIND ALS WIR

Der Fotokopierer

Spätsommer 1945. Japanische Kriegsgeneräle stehen auf dem Dach ihres Führerbunkers in den unzugänglichen Bergwäldern des Fudschijama und sehen zwei riesige Rauchpilze am Himmel. Sie blicken sich an und wissen: Der Krieg ist verloren. Noch in dieser Nacht fassen sie einen Entschluß: Sie und die Generation ihrer Söhne werden sich rächen an der westlichen Zivilisation, sie werden Millionen von Menschen zu willenlosen Sklaven ihrer Vergeltungswaffen machen.

Fast 50 Jahre später. Ich stehe an einem elektronischen Müllberg aus gelblich-weißem Plastik, der den Namen eines japanischen Berges trägt. Irgendeine außerirdische Stimme hatte vor Jahren allen Büromenschen eingeredet, daß jeder überflüssige Verlautbarungsfurz fotokopiert werden muß, bevor Original und Kopie zusammen in den Aktenvernichter wandern. So stehe ich also willenlos vor der japanischen V 2, um das alltägliche Ritual der Bekloppten und Bescheuerten der Büroetagen am Gerät zu vollziehen. Doch anstatt in geziemender Unterwürfigkeit die Kopie anzufertigen, grinst eine LCD-Hieroglyphe aus dem feisten Display des Japaners. Was will mir die rätselhafte Botschaft aus dem Land des Lächelns mitteilen? »Fick dich ins Knie, du europäisches Loser-Arschloch.« Ich habe keine Ahnung, denn im Umkreis von 100 km ist keine Dechiffriertabelle für Fotokopierhieroglyphen auffindbar. Wahrscheinlich wird die einzig vorhandene im Tresor des japanischen Kopierministeriums aufbewahrt oder hängt als flüchtig getuschtes Aquarell im Shintoschrein von Kyoto. Nun gut. Ich tue das, was jeder andere zivilisierte Europäer an meiner Stelle auch getan hätte: Ich trete mit dem rechten Fuß in die weiche Plastikflanke der widerborstigen Kanaille. Ergebnis: Natürlich keine Kopie, sondern das Erscheinen eines weiteren Blinkbefehls: Ein Dreieck mit einem winzigen Spermatropfen. Japaner. Du bist eine perverse Sau. Dennoch, was soll das Porno-Piktogramm an einem Fotokopiergerät. Glauben die Nipponkerle, deutsche Bürohengste onanieren sich das Hirn aus dem Schädel, wenn ein versautes Lämpchen blinkt? Ich will zum zweiten Mal zutreten. Aus einem Büro nebenan höre ich: »Das ist Fehler 107, das hat der öfter, da müssen Sie mit dem Fuß gegen den Papiereinzug treten.« Sieh an! Na, dann komm her, du mieser kleiner Papiereinzug, der Onkel verpaßt dir jetzt mal eine gehörige Abreibung. Krach Zabong. Zersplittertes Rauchplastik bohrt sich durch meine Arztsocke und wird Ausgangspunkt eines lustigen Eiterherdes, der mir in den kommenden Wochen noch viel Freude bereiten soll. Fehler 107 hingegen erfreut sich weiterhin bester Gesundheit. Die renitente Kopierer-Drecksau grinst mir aus mittlerweile fünf Blinklichtern entgegen. Nach der stilisierten Onaniervorlage für impotente Computerkids leuchten jetzt zusätzlich: B4, eine Art Kühlergrill und ein amputierter Violinschlüssel. Schluß jetzt. Wird eben nicht kopiert. Ich bücke mich, um das eiternde Schienbein notdürftig mit etwas DIN A 4 zu verarzten, und verlasse den fernöstlichen Kriegsschauplatz als gebrochener Mann. Später stellte sich heraus, daß der vereiterte Wundverband am Bein die beabsichtigte Fotokopie war, die das Miststück irgendwann heimlich ausgeschissen haben mußte, und daß ich das Original – einen funkelnagelneuen Tausendmarkschein – im Fotokopierer vergessen hatte. Ich fühlte mich wie ein Delphin in der Bucht von Tokio.

DAS LEBEN

Das Leben. Viele denken, es sei zu kurz. Aber hat schon jemals einer auf dem Sterbebett einfach nur laut geklatscht und »Zugabe« gerufen? Doch ehe man nicht wenigstens das unternommen hat, was man jedem mittelmäßigen Popkonzert zubilligt, sollte man sich nicht über das kurze Leben beklagen.
Kassowarth von Sondermühlen

ABARTIGE, DIE IN DER MEHRHEIT SIND

Heteros

Es ist nicht gut, daß der Mensch allein sei«, hieß vor Jahrmillionen die korrekte Analyse des Schöpfers. Doch in seinem Wahn schuf er zur Abhilfe nicht etwa Fußballmannschaft oder Skatrunde, sondern die Heterokiste, die schon beim ersten Mal gnadenlos versagte. Als es der Frau vor hunderttausend Jahren gelang, den faulen Terzel in die Brutpflege einzuspannen, war das Elend komplett. Seither leben wildfremde Menschen gemeinsam in engen Verschlägen und gaukeln der harmoniesüchtigen Welpenschar die heile Welt der Chappi-Werbung vor. Welch ein Preis dafür, seine zweifelhaften Gene in die nächste Generation zu befördern. Heteros suchen im anderen Geschlecht die Ergänzung ihrer eigenen Fehler zur Gesamtsumme der kompletten Unvollkommenheit, heiraten gezielt einen Idioten, den sie noch mehr verachten als sich selbst, um alltäglich den kleinkarierten Übermenschen raushängen zu lassen. In der Familienzelle berauben sie sich gegenseitig der Privatsphäre, um das Nachdenken zu verhindern. Abermillionen Geschundene fliehen jeden Morgen aus diesem Gulag, um in der Arbeitswelt ein paar Stunden Ruhe und Erlösung zu finden. Dort lästern sie über ihre dumpfen Partner und bereiten durch unvorsichtige Genitalkontakte das Feld für des Dramas zweiten Teil: Auflösung der heimatlichen Heterozelle. Da gibt es Sachwerte zu teilen, Bälger zu versorgen, Rentenansprüche aus Zugewinngemeinschaften auseinanderzudividieren und Anwälten die Rosette zu vergolden: insgesamt der wirtschaftliche Super-GAU am Ende eines Weges, der mit einer winzigen Hormonausschüttung im Zwischenhirn begann. Obwohl jede miese Vorabendserie komplexer und interessanter ist als das Leben der meisten Mitmenschen, stürzen sich die Gepeinigten sofort nach Beendigung der einen in die nächste Heterofalle, um dort die restlichen Jahre Triebstrafe abzusitzen. Zum zweiten Mal die ewiggleichen Storys des Gesponses an der abendlichen Knabberschale, die erneute Verdopplung des Verwandten-

packs, noch mal die nörgelnden Kommentare zur alltäglichen Lebensbewältigung. Wo der Single schweigend zum Wasserabschlagen in die Naßzelle schreitet, sieht sich der Hetero zum Begleittext genötigt: »Du, Schatz,
ich geh' mal gerade Pipi machen.« Erfolgen diese Positionsmeldungen
nicht in regelmäßiger Folge, verpetzt der Blockwart den Partner an die Po-

Darkroom für Heteros

lente. Kaum vorstellbar, daß ein Eheteilnehmer unangekündigt auch nur
für einen Tag vom vorgeschriebenen Kurs abweicht, ohne daß die Fahn-
dungsorgane des Staates davon in Kenntnis gesetzt werden. So verläuft
denn das Heteroleben im immergleichen Trott, weil man dem Kontroll-
organ am häuslichen Herd sprunghafte Ausbrüche von Lebensfreude nicht
erklären kann. Nur einer lacht: der Staat. Steuerlich gefördert bringt er die
Menschen dazu, sich in Zweierteams gegenseitig zu bewachen, damit keiner auf dumme Gedanken kommt. Wer nun aber glaubt, der Homo hat es
besser, sieht sich getäuscht. Auch die Kollegen von der kontroversen Trieb-
fixierung trachten danach, ihr Lebensglück in der kleinsten kriminellen
Vereinigung, der Zweierkiste, zu finden. Auch dort ist man von der Utopie,
daß Menschen in friedlichen Skatrunden zusammenleben, weit entfernt.

ABSCHIED VON EINER EHRLICHEN SPEISE
Fisch in Öl

Dem steten Drang nach Veredelung der schlichten Einfachspeise konnte sich auf Dauer auch der Hering nicht entziehen. »Fisch in Öl« hieß der eingedoste Fraß bis vor wenigen Jahren und diente dem geübten Säufer als solides Fundament seiner feuchten Saturnalien. Noch in der Retrospektive als teilverdautes Energiekonzentrat hatte er wenig von seiner stillen Würde eingebüßt. Heutzutage sucht man im Regal vergeblich nach dem öligen Fisch. An seiner Statt entdeckt das irritierte Verbraucherauge ein »Wikinger-Frühstück« oder den »Schwedenhappen«, dessen flüssiger Bruder schon im Dreißigjährigen Krieg bei uns einigen Schrecken verbreitet hat. Samt und sonders sind diese aufgemotzten Dosenfische nichts als betrügerisch gestreckte Ware skrupelloser Meeres-Dealer. Der Spanier seiner Zeit tunkte die Piri-Piri-Muschel noch in ehrliches Motoröl – auch nicht schön, aber immer noch schmackhafter als der Thunfisch mit der Erbse oder die Mexikanische Makrele mit Mais und Pferdebohnen. Durch Beimischung meeresfremder Sättigungsprodukte versucht die Fish Connection von den leergeräuberten Ozeanen abzulenken. Unmerklich wird die Erbsenmenge in den Thunfischbüchsen erhöht, bis nur noch fischig müffelnde Hülsenfrüchte unterm Weißblech lauern. Wie lange dauert es noch, bis der Schwede selbst in der nach ihm benannten Happendose liegt? Den »Heringssnack nach Balkan-Art« meidet der weltpolitisch Interessierte schon seit Jahren aus gutem Grund. Obacht geben heißt es auch immer dann, wenn die beliebte »Dillrahmsauce« den Fisch umhüllt. Eine winzige Zeile auf dem Etikett enthüllt das Geheimnis der fauligen Tunke: »Fischeinwaage: 5 g« steht da verschämt hingepinselt, will heißen, für die restlichen 195 g der »Helgoländer Hochzeitsnacht« muß der sämige weiße Glibber den Fischgeschmack besorgen. Selbst dem Eingeweihten enträtselt sich bei der lyrischen Kraft der Etiketten nicht mehr der Gehalt der flachen Dose. Was verbirgt sich im Innern des »Büsumer Hüttenschmauses«, welche maritime Existenz fand ein jähes Ende im Weißblechsarg der »Cuxhavener Gourmet-Bröckchen philippinische Art«. Keinen Aufschluß, soviel ist sicher, gibt der Zutatenhinweis auf der Rückseite. Neben der bekannten »Fischeinwaage« finden wir dort die »modifizierte Stärke«, »Apfelsäure«, »Würzmittel« und das wenig Vertrauen erweckende »Alginat«. Wie doch eine lateinische Endung sofort die profanste Zutat adelt. Zumindest kann man nun sicher sein, daß Freund Fischeinwaage sich im gewohnten submarinen Unterholz gleich heimisch fühlt. Bei aller Nüchternheit der Dosenkehrseite liefert doch das Deckblatt etwas Trost im »Serviervorschlag«. Meist räkelt sich dort auf einem Heringsmodel, wie es so im Innenraum der Dose sicher nicht vorkommt, ein geschminktes Radieschen nebst gerupfter Petersilienrispe. Wie ernüchternd ist dann nach aufgerissenem Deckel der Blick auf die Heringsleiche im Totenhemd aus Dillrahmsauce. Pfui Deibel!

GEBURTSTAGE

Jedes Jahr aufs neue feiern wir unseren sog. Geburtstag, doch in Wahrheit feiern wir unseren Tod. Denn nicht das Leben wird immer mehr, sondern wieder ist ein Jahr von uns beerdigt worden. Was sind wir doch alle für Knallköppe!
Kassowarth von Sondermühlen

DIE GESOCKSBREMSE AM RANDE DER SCHOLLE

Mein Freund, der Zaun

Wenn der deutsche Mensch sich fortpflanzt, dann *kriegt* er Kinder. Wenn er Stacheldraht um seine Hütte zieht, dann *friedet* er sein Grundstück ein. Soviel zur Völkerpsychologie! Viel lieber als die Gattin streichelt der Teutone sein Gatter, am liebsten mit dem Dachshaarpinsel, frisch in Xylamon getunkt. So hockt er sommertags auf wackligem Campingstuhl vor dem Jägerzaun und pinselt sich in einen preiswerten Rausch aus Holzschutzdämpfen. Denn sie bedarf der steten Pflege, die Grenze zum Feindesland. Dahinter lauert zumeist der Nachbar, dem die bleckenden Zähne des weißen Staketenelements entgegengrinsen. Ständig freizuhalten wie weiland die Zonengrenze ist auch der Grundstückszaun vor illegalem Bewuchs. Wohl um republikflüchtige Wanderratten vom Grenzübertritt fernzuhalten, wird das Gras unter, vor und hinter dem Zaun mit der chemischen Keule kurzgehalten. Fehlt nur, daß Gartenzwerge mit geschulterter Kalaschnikow am Ziergitter Streife laufen. Verheerend ist der

O Mist, ein Zeuge Jehovas!!!

Todesstreifen für die Kollegen aus dem Kerbtierbereich. Kein Insekt, keine Larve überlebt auf Dauer den Agent-Orange-Einsatz am Jägerzaun. Als böte selbst der Löwenzahn dem Vietcong Unterschlupf und Nachschubwege, rückt der Gartenmann mit der Giftspritze aus und sprüht die grüne Hölle braun. Viel Wesens wird um den Zaun erst gemacht, seitdem er zu einer lächerlichen Restexistenz geschrumpft ist. Wen im Ernst sollen denn noch 60 cm hohe Maschendrahtverhaue abhalten? Rumänische Liliputanerbanden, die mit Tretautos die Villenvororte unsicher machen? Als die Zäune noch aus zwei Meter hohen Mauern bestanden, gekrönt von Glasscherben oder schmiedeeisernen Bajonetten, kümmerte sich keiner um sie. Wozu auch, denn sie hatten den Menschen zu beschützen, heute beschützt dieser den Zaun, paßt auf, daß niemand sein Fahrrad anlehnt und daß der Knöterich nicht die kesseldruckimprägnierte Latte erwürgt. Der Zaun ist ein Zitat geworden, eine Reminiszenz an das beschützte Leben des alten Bürgertums. Die albernen Meerschweinchengehege heutiger Vorgärten beschützen niemanden mehr, beanspruchen aber im Dekor noch immer die einstige Grandezza. Da ist der weiße Zwergpalisadenzaun im Stile einer texanischen Ranch, der bei einem 50-Quadratmeter-Gärtchen den Angriff der Mescalero-Teckel abwehrt. Da gibt es die graue Plastikquerlattung im klassischen Bauhausstil der Autobahnleitplanke. Dahinter hat der Fernfahrer sein bescheidenes Heim gezimmert. Ewig jung ist auch der Maschendraht, nüchterne Rottweilerbremse zum Gehweg hin. Doch wer's etwas gediegener haben will, der adelt durch den Zaun sein schäbiges Eigenheim. Warum nicht dem abgegriffenen Reihenhaus das Flair eines Toscana-Weingutes verschaffen? Fünf laufende Meter Grundstücksgrenze bieten da unendlich viel Gestaltungsspielraum. Locker noch ein paar Terrakotta-Pudel auf dem Rasen verstreut und gelenzte Lambruscopullen verkehrt herum in die Rabatte gerammt! Allerdings paßt zum Handtuch vor dem Reihenhaus eher die japanische Gartentradition. Da wird der Baumbewuchs mit der Motorsäge zum Bonsai geschnippelt und das Fuder Bauschutt in einen Steingarten uminterpretiert. Und alle diese putzigen kleinen Welten beschützt des Deutschen liebster Kumpan, sein Freund der Zaun. Wen wundert's da, daß der weltlängste einst durchs ganze Land verlief.

SO BEGANN DIE HERRSCHAFT DER GERÄTE

Ende der Ausschaltknöpfe

Die Macht des Menschen über die Geräte schwindet. Doch es ist nicht der heimtückische Roboter, der – sich selbst programmierend – über uns herfällt, sondern es sind die kleinen Hüdelkästen unserer Alltagswelt, die uns fertigmachen wollen: das Radio, der Toaster, die Glotze, der Vibrator. Diese vielen kleinen Mistviecher haben keinen An- oder Ausschaltknopf mehr und versuchen so auf hinterlistige Weise stets am Netz zu verharren. In seinem unerfindlichen Ratschluß hat der emsige Gilb vom fernöstlichen Videofelsen einst die Anschaltknöpfe vernichtet. Da steht nicht mehr wie früher »An/Aus«, sondern I/O oder Power, vielleicht auch VTR oder gar nix. Manchmal kündet auch ein illuminierter Fliegenschiß mit Blut im Stuhl von der erfolgreichen Inbetriebnahme des Gerätes. Da es immer noch Benutzer gab, die nach Jahren den Anschaltvorgang enträtselten, verstieg sich der enigmatische Japanoide in noch geheimnisvollere Welten der Stromunterbrechung. Vertrieben von der Stirnseite des Gerätes, wanderte der Powernippel unter eine wabblige Weichplastikkappe an der Unterseite. Dies ist der Grund für das in jedem Büro zu beobachtende Geräte-Petting verzweifelter Angestellter. Bevor der dämliche Drucker unterwürfigst seine niedere Tätigkeit aufnimmt, verlangt er danach, komplett abgefummelt zu werden, auf der Suche nach der winzigen Mäusetitte, mit der man ihn starten kann. Im Bereich des Home Entertainments erfreut sich auch die Geräteklappe großer Beliebtheit. Darunter verweigern kryptisch beschriftete Plastikpocken den direkten Zugriff aufs Gerät. Der jüngste Schritt in der Geschichte industrieller Desorientierung ist die Auslagerung des Anschaltknopfes auf Peripheriegeräte wie Fernbedienung oder Tastatur. Dort bedarf es dann einer nirgendwo nachschlagbaren Kombination mindestens dreier Knöpfe, um irgendein Plastikmonster zum Fiepen zu bewegen. – Warum tut der gelbe Mann uns das an? Warum überzieht er sämtliche elektrischen Hervorbringungen seiner perversen

Produktphantasie mit einer leprösen Benutzeroberfläche. Was sollen all die blinkenden Pickel und Schaltwarzen auf den blöden Kisten? – Sie sollen uns demütigen! Jeder zusätzliche rätselhafte Knubbel macht uns zum Analphabeten der Moderne. »Seht her«, sagt der Videorecorder, »der

ALTE KATZE
Vor mir auf dem Schreibtisch
liegt eine alte Katze.
Wem mag sie wohl gehört haben?
Konrad Adenauer?
Winston Churchill?
Oder gar Pontius Pilatus?
Stummer Zeuge der Geschichte,
behältst dein Geheimnis für ewig
bei dir. Und wir, die wir heute
ach so gescheit daherleben,
wissen in Wahrheit doch nichts.
Kassowarth von Sondermühlen

Doofe hier kann mich noch nicht mal anmachen.« Aus dem Toaster grinst das Error Display, wenn man drückt, was man für den Netzschalter hielt. Aber eines, ihr kleinen Arschlöcher, habt ihr vergessen. Solange es noch Schukodosen gibt auf dieser Welt, haben wir die Macht. Doch einst wird kommen der Tag, an dem man ein neuerstandenes Gerät am langen Kabel aus dem Geschäft hinter sich herzieht, damit man es nie wieder ausschalten kann. Prost Mahlzeit.

DIE GEFÄHRTIN DER EVOLUTION – AUCH KEIN HIT
Mythos Frau

Männer sind das allerletzte an Geschlecht: bekloppt, machtgeil und arrogant. Schade, aber wahr! Noch schader: Frauen sind leider auch völlig blöd. Das gehypte Geschlecht des scheidenden Jahrtausends besteht dummerweise auch nur aus einem Haufen schwächelnder Individuen. Alles, was man über sie in fröhlicher Herrenrunde erzählt, ist wahr: Sie können keine Karten lesen, nicht links und rechts voneinander unterscheiden, wissen nicht, was mit dem Wort »Pünktlichkeit« überhaupt gemeint ist, kurz: Sie finden sich in der modernen Zivilisation nur mit Mühe zurecht. Mann und Frau sind dermaßen unterschiedliche Wesen: Wie ist es nur möglich, daß sie gemeinsam fertile Nachkommen hervorbringen? Das weibliche Gehirn erscheint dem Manne wie eine zugemüllte Festplatte. Auf die Frage: »Möchtest du eine Tasse Kaffee?« würden die meisten Männer mit »Ja« oder »Nein« antworten, die meisten Frauen – besonders wenn sie sich das Zutrauen des Fragenden durch Ehe oder Partnerschaft erschlichen haben – antworten ausführlicher: »Denk mal etwas nach, bitte schön!! Dann weißt du selbst, ob ich noch Kaffee will.« Nur der ungeheuren Friedfertigkeit des Mannes ist das Überleben des Weibes in solchen Situationen zuzuschreiben.

Einer Frau ist der Gedanke fremd, daß man mit Sprache auch ganz einfache Dinge machen kann, z. B. danach fragen, ob man eine Tasse Kaffee möchte. Sie vermuten stets Hintergedanken, Intrigen, Versäumnisse und Angriffe. Männer sind dafür in der Regel viel zu faul. Männer hängen am liebsten in ihrer Fernsehsasse und starren blödig in das Gerät. Warum auch nicht. Doch leider nur zu oft wird die stille Andacht der Fickelfilmrezeption durchs emsige Geschlecht gestört. Die Glucken müssen immerfort hin und her trippeln und im Nest scharren. Dann wird hier ein Deckchen drapiert oder dort ein Halm zum Mülleimer getragen. Der zweite Hauptsatz der Thermodynamik ist für die Fräuleins nicht existent – sie glauben tatsächlich noch daran, daß sich Ordnung herstellen läßt, ohne dafür an anderer Stelle Chaos zu erzeugen. Wenn ein Mann ihnen erklärt, daß der Preis für die sauber geputzte Bude letztlich die wilde Müllkippe am Amazonas ist, so sperren sie ungläubig den Schnabel auf. Und hier wird der letzte Mythos Weib vom Sockel gestürzt: die Mär vom besseren Einfühlungsvermögen der Frau. Welche Doppel-X-Chromosomen-Trägerin hätte sich wohl je in einen Mann einfühlen können. Und ein Wesen, das nicht mal ahnt, wie 3 Milliarden Menschen denken, fühlen, sprechen – diesem Wesen wollen wir doch wohl keine besondere Sensibilität bescheinigen. Bleibt noch eine Frage offen: Wie lange läßt man mich noch mit tiefer Stimme sprechen.

Uschi: »Hauptsache Titten, sagt mein Freund.«

DESIGN-HÖLLE AN DER TOTEN FICHTE
Weihnachtsschmuck

Odu fröhliche! Der Behämmerte hängt sich bunte Lichtelein ins Lokus-
fenster! Wie ein serbischer Meerschweinchenpuff erstrahlt bald jedes
Mauerloch, wenn der Durchschnittsprügelverdiener im Obi-Markt Blink-
lichter kaufen war. Da glänzt die Krüppelkiefer, da blitzt der blaue Tann,
wenn Papa seine Lichterkette in den Vorgarten hängt. Doch längst nicht
nur das Außenrevier wird stimmungsgeladen, *überall* muß Weihnachtsglitzer
her. Neben dem Blechschild namens »Walter« und dem Bisamratten-

SPD
**Tote Kamelhaarmäntel liegen
auf der Straße, Reihenhäuser
fliegen durch die Luft, in den
Städten herrscht die SPD.
Sieht so das Weltenende aus?
Wir wollen es nicht hoffen.
Bleiben Sie gesund.**
Kassowarth von Sondermühlen

schwanz »King of the Road« blinkert fröhlich ein buntes Tannenbäumchen
den Brummifahrer in den Schlaf. Und drunten am Schniedelwutz lugt
etwas Lametta aus dem Hosenschlitz. Hosianna, welch ein Jubilieren in der
Weihnachtszeit, wenn noch der letzte Winkel christkindlmäßig aufgemotzt wird. Da ist die Fußgängerzone, diese schäbige Schnittstelle zwi-

schen Müllerwartungskrempel und Endzeitverbraucher, eigens erdacht, um den Obdachlosen aufzunehmen. In der Adventszeit aber, schwuppdiwupp, verwandelt sie sich in ein mittelalterliches Zauberstädtchen, wo man vielerlei Spezereien und Tand erwerben kann, z. B. Glühwein und Glühwein oder ... Glühwein. Auch die Fußgängerzone ist geschmückt mit tausend Lampen, die alle angehen, wenn Väterchen Alkohol in den feisten Leibern schwappt. In den Geschäften, welch eine Freud, prangt so manches gülden Kügelein am Exponat: Beim Sanitärfachhändler blinzelt der Tannenzweig keck aus dem Tiefspüler hervor, beim Würstchenmann ist der Ketchup rot und die Wurst schon grün. Sogar der Aldi, dieser nüchterne Bursch, hat sein Ladenlokal festlich rausgeputzt. Wer möchte da als Privatperson hintanstehen, wo doch jeder sein Bestes gibt in dieser Zeit. Lichterketten lodern bald an jedem Zweig, Kerzen stehen hinter Glas und bedeuten dem, der draußen steht, hier drinnen, da ist's gar furzgemütlich. Doch wie lange noch wird das ausreichen? Vor Jahren schmückte jeder nur sein Bäumchen vor dem Heim, heute darf es schon das Fenster sein. Doch wenn's alle machen, ist der Witz vorbei. Morgen klebt der Bekloppte womöglich ab September Lebkuchen an sein Reihenhaus und spannt ein Dutzend Rentiere vor den Nissan, damit's schön weihnachtlich blitzt, das Wägelchen. Oma kriegt Kunstschnee ins Gebälk geblasen, daß sie schöner aussieht, wenn's am Fernsehn hockt, das gute Tier. Den Dackel ziert der Tannenzweig im Afterloch, die Rosette weit, der Himmel hoch! So dauert es nur noch wenige Jahre, bis das weihnachtliche Wettrüsten die Schwächsten ruiniert hat: Die Stromrechnung im Januar fegt den Lichterkettenfetischisten vom Plan, der brennende Opa zügelt den Wunderkerzenmann. Doch es sind ja nur die Schwachen, die sterben müssen. Die anderen aber gehen gestärkt aus dem Kampf hervor und pachten ganze Fichtenschonungen bereits im Mai, um ihre Lichterketten kilometerlang durch die Zweige zu flechten, LKWs brummen über die Autobahnen, deren Ladungen nur aus riesigen Akkus bestehen, mit denen sie ihre Lichterbäume am Volant beheizen. Und wir, was machen wir? Wir hauen uns mit dem Hammer auf den Finger, bis er rot wird, und strecken ihn in die Höhe – das muß auch mal reichen.

BEKLOPPTE GEBEN SICH DEN REST
Silvester

Nicht mehr lange, und er schlägt gnadenlos zu: der debile Salzletten-Frohsinn zur Jahreswende. Schon am frühen Morgen marodiert die verwahrloste Jugend mit Böllern durch die Verkaufszonen und verwandelt sie in ein heimeliges Sarajevo. Hier sprengt ein Kanonenschlag den Briefkasten, dort jagt ein Zieselmann dem stoischen Wachtturmverkäufer die himmlische Botschaft aus den verfrorenen Fingern. Unterdessen versuchen die Bekloppten und Bescheuerten noch teilverseuchtes Gekröse fürs abendliche Fondue zu ergattern. Hinterm umklappbaren Rücksitz des fernöstlichen Knuffi-Autos liegen schon acht Kisten »Schloß Frankenstein«, mit denen sich die Alkoholiker-Schicksalsgemeinschaft – genannt Ehe – des Abends vorm TV den Brägen durchpustet. Wenn die Beute aus der Fußgängerzone heimgetragen, gilt es für die längste Nacht des Jahres zu rüsten: der Fischli will anständig präsentiert sein, der Darmzottenspieß fürs Fondue gestaltet und natürlich die Königin des Neujahrskaters bereitet werden: die Silvesterbowle. Man nehme ein leidlich von Algen befreites Aquarium, zehn Liter Kellergeister, ca. fünf Kilo in Springer Urvater gereifte Dosenananas und würze mit einer Flasche Apfelkorn etwas nach. Nur anderthalb Gläser dieser Mörderbrühe verwandeln jeden harmlosen Partygast in ein verröchelndes Ausscheidungsorgan. Damit sich im mitternächtlich Erbrochenen auch noch einige feste Bestandteile finden, reicht der aufmerksame Gastgeber noch eine Platte zuckriger Fettkringel herum. Wer es jetzt immer noch nicht schafft, das neue Jahr als physisches Wrack zu beginnen, ist selber schuld. Gerne wird auf der Silvesterparty neben unkontrolliertem Alkoholkonsum auch noch einem anderen Vergnügen gefrönt: Aus dem Orkus des Plattenschranks werden die verkratzten Scheiben mit Hits à gogo von James Last hervorgekramt und zu längst vergessenem La Bostella und Letkiss die verfettete Nachbarin respektive deren schwammiger Gemahl angegrabbelt. Um zwölf liegt sich dann die

ganze besoffene Blase draußen in den Armen – der Schlaue nutzt die Gelegenheit und kotzt in die Koniferen. Spätestens fünf nach zwölf wird sich
jeder Gast des erbärmlichen Elends der Party bewußt und versucht die
noch funktionierenden Reste seines vergifteten Körpers in das heimische
Endlager zu transportieren. Doch allein, es will kein Taxi kommen, und
selbst die dicke Gattin kann nicht mehr fahren, was den Ehemann zu dem
Neujahrsgedanken hinreißt, weshalb er den verlebten Brocken überhaupt
noch durchfüttert, wenn nicht einmal die Restfunktion des nächtlichen
Fahrdienstes noch gewährleistet ist.

Eine Silvesterparty zerstört sich selbst durch mindestens drei fundamen-
tale Irrtümer. Erstens: Der kalendarische Zufall sei ein Anlaß zum Feiern.
Zweitens: Die Sollbruchstelle um zwölf heize die Stimmung an. Und drit-
tens: Je mehr Leute zur gleichen Zeit betrunken sind, desto schweinelusti-
ger sei die ganze Chose. Das Gegenteil ist der Fall: Wird eine dumpfe Sau-
ferei doch erst dadurch zum Fest, daß andere von ihr ausgeschlossen sind.
Wenn im Dezember 1999 die Mega-Silvesterparty droht und die ganze
Weltbevölkerung in einen kollektiven Vollrausch verfällt, so wird derje-
nige das Jahrtausendgeschäft machen, der einwöchige Komaspritzen re-
zeptfrei am Kiosk verkauft. Ich bestell' jedenfalls schon mal eine.

GLAS WEIN

**Manchmal trinke ich abends ein Gläschen
Wein oder auch mal zwei und liege dann
stundenlang breit auf dem Teppich herum.
Meine Frau schimpft dann oft mit mir.
Doch der Teppich und ich, wir lachen nur
drüber. Ja, jeder braucht im Leben
jemanden, der ihn so nimmt, wie er ist.
Kassowarth von Sondermühlen**

Wischmeyer

Hömma Spozzfreund

Siebzig Minuten durch den Irrsinn der BRD. Mit dem aggressiven Rentner **Willi Deutschmann** und den besten Geschichten aus **Wischmeyers Logbuch**. Best.-Nr. 11-25...29,90 DM

SCHRÖDER

Einzigartige Tondokumente über und mit dem Kanzlerkandidaten der SPD. Mit Günther, der Treckerfahrer, Frieda & Anneliese, Der Kleine Tierfreund u.a. Best.-Nr. 11-40...29,90 DM

Zicken und Würmer Teil 2

Die neuesten Absonderungen des legendären Comedy-Duos **Die Arschkrampen**. Diese CD sollten Sie vor Ihren Kindern resp. Eltern verstecken. Best.-Nr. 11-33...29,90 DM

Der Kleine Tierfreund. Im Taumel der Wollust

Was Grzimek und Sielmann sich nicht trauten, hier ist die Wahrheit über unsere faulen Kollegen in der Fauna. Best.-Nr. 11-01...29,90 DM

auf Tonträger

AUSWAHL

Verchromte Eier

Die endgültige Typologie der Motorradfahrer und ihrer Maschinen von Harley
bis MZ. Inklusive Originalgeräusche
und **Kreidlersong**.
Best.-Nr. 11-22...29,90 DM

Dietmar Wischmeyers Logbuch

Livemitschnitt der großartigen
Logbuch-Lesungen im Herbst 1997
mit zusätzlich je einer Mike- und Willi
Deutschmann-Geschichte.
Best.-Nr. 11-43...29,90 DM

Willi Deutschmann

Ein wahnsinniger Frührentner führt uns
durch die Hölle des Baumarktes und
zeigt uns, wie man mit einer 5 Zentner
schweren Frau zusammenlebt.
Best.-Nr. 11-42...29,90 DM

Ullstein Buchverlage GmbH, Berlin
Taschenbuchnummer: 36203

Originalausgabe
4. Auflage Juni 1998

Umschlagentwurf: Tandem Design, Hamburg
unter Verwendung eines Fotos
von Dietmar Wischmeyer,
geschossen von Andreas Münchbach:
Alle Fotos im Textteil von Dietmar Wischmeyer,
Nora Köhler und FSR
FRÜHSTYXRADIO-Redaktion: Nora Köhler
c/o FSR Unterhaltungsbüro GmbH
Printed in Germany 1998
Redaktion: Frau Dr. Brinkmann
Satz und Lithos: LVD GmbH, Berlin
Druck und Bindung: Clausen & Bosse GmbH, Leck
ISBN 3 548 36203 6

Gedruckt auf alterungsbeständigem Papier
mit chlorfrei gebleichtem Zellstoff